《道德经》诗译

张南 著

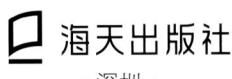 海天出版社

·深圳·

图书在版编目（CIP）数据

《道德经》诗译 / 张南著. — 深圳 : 海天出版社,
2019.5
ISBN 978-7-5507-2650-5

Ⅰ.①道… Ⅱ.①张… Ⅲ.①道家②《道德经》—译
文 Ⅳ.①B223.14

中国版本图书馆CIP数据核字(2019)第074072号

《道德经》诗译
DAODEJING SHI YI

出 品 人　聂雄前
责任编辑　何志红
责任技编　陈洁霞
责任校对　张　敏
装帧设计　龙瀚文化

出版发行　海天出版社
地　　址　深圳市彩田南路海天综合大厦（518033）
网　　址　www.htph.com.cn
订购电话　0755-83460397（批发）　　83460239（邮购）
排版制作　深圳市龙瀚文化传播有限公司　　0755-33133493
印　　刷　深圳市新联美术印刷有限公司
开　　本　787mm×1092mm　1/16
印　　张　18
字　　数　207千
版　　次　2019年5月第1版
印　　次　2019年5月第1次
定　　价　38.00元

作者张南

张南（左一）与文康盐

老子，一位超人，一位圣贤，一位赤子。他给世间留下这部如碧玉般美好、如至宝般神圣的《道德经》，几千年后依然是那样华光璀璨、朗照世间。不论岁月怎样流逝，不论花开花落、春来秋往，他和他的思想永远是那样生气勃勃，熠熠生辉！

——张南谨识

作者简介

张南，中国元和健康技术文化创始人，深圳市元和健康科技开发有限公司创始人兼总经理，1958年出生于四川省蓬安县正源镇一个教师家庭。大学文化，受父母指引，少小读经史、爱诗文、敬圣贤。青年时研修古典传统优秀养生技术，深有所得。遂立志终生致力于继圣贤智慧，扬养生文明，振健康事业。

几十年来，研修儒、道、佛、医、武学，以及现代心理学、教育学、哲学等，古今纵横、融会贯通，独创潜能开发快速培养科技、文艺、体育、养生等人才的方法。

此间，创立元和内家武术、太极导引养生、丽康瑜伽、内家点穴养生、音乐养生、数术养生、声波瑜伽养生、顶压养生、吐纳养生、元和禅修养生开智、指禅养生等多个承先启后，继往开来的养生技术、文化体系，几十年来受益者数以万计。

另有《中医哲学》《音乐养生的基本原理》《易的无极返元原理》《数术学》《导引养生学》《声波瑜伽养生学》等论著多种。

以此技术、文化为基础，创元和健康事业，以圆健康产业，利民强国之理想。

译著说明

　　《道德经》问世已两千多年。本书是以逻辑关系重新展开全书81章的,在直译梳通文义后用现代诗揭示出各章的深刻含义,使老子的思想得以神形兼备地展示出来。使读者既可以从整体上认识老子的思想体系,又可以从各章传神达韵的诗译中倾听老子这位世界公认的圣人的心声,净化心灵、鼓舞壮志,获得修身养性、立身处世、安邦治国的知识、哲理与智慧。本书具有较高的学术价值与应用价值,同时兼具可读性。

座右铭

继圣贤　承文明

铸健康　济苍生

创大业　强国运

耀先祖　照子孙

张南

序　一

一本好书　千秋丰功

弘　真

据说，孔子和老子这两位中国古代圣人曾在一起交流思想，之后，孔子感慨地说，鱼能悠游于水中，鹰能翱翔于云空，既能潜游于水中，又能腾飞于高空的是龙。他所见到的老子，兼具学问、胸襟与智慧，犹如上天入海、无所不至、悠游自在的一条龙。龙，在当时是至尊至贵的象征。在孔子的眼里，老子的人格、思想无疑是无与伦比的、至为珍贵的。

《道德经》就是体现老子思想的光辉著作。它主要有修身养性、立身处世、安邦治国三个方面的内容。几千年来，它给中华民族的强盛及个人发展所带来的益处是无法估量的。

君王顺着老子安邦治国的思想而行，则天下太平，国运昌隆。中国历史上的汉初文景之治，唐朝贞观之治，就是明证。个人奋斗者依老子安身立命思想而行，则可宁静致远、淡泊明志。穷时独善其身，而不失壮志；达时兼济天下，亦不误良机。脚踏实地，由平凡走向伟大，由黑暗走向光明。

1

修道者顺着老子的修身养性思想而行，可以正心、正法、正行，成就正果。《道德经》所载的修道之法多为老子自身的体验，文字不多但方法完整，从确立目标，到调心、调气，排除干扰，正确把握各种功境，到最后完成与道——绝对真理相合，都无所不及。

　　正因为如此，《道德经》被称为道家第一经，尽管道家思想几千年来不断丰富与发展，但老子的修身养性学说及其境界却一直巍然耸立，不可动摇。《道德经》的修身养性内容已经成为人类修道的最佳指南。

　　可是，人们跟《道德经》却久违了。

　　历史发展到今天，像老子当时所见到的情景已不复存在：红尘滚滚，危机重重，对欲望的无止境追求与物质资源的有限性构成尖锐的矛盾，生存环境遭到严重破坏，给人类的生存造成极大威胁。世界嘈杂的声音讲述着祸福兴衰的故事，缤纷的色彩变幻着扑朔迷离的画面。面对世界，面对社会，面对人生，怎样的追求才是合理的？怎样的计谋才是完善的？怎样的努力才能走向成功？怎样的选择才是正确的？——这一系列问题，从《道德经》里都可以得到启迪，得到答案。

　　《道德经》就是在这一背景下走向国际，走进现代社会的。

　　《道德经》当今已被视为文化瑰宝，日本大型企业运用《道德经》思想来进行管理，《道德经》在国际上的地位可见一斑。

　　当今时代日益需要《道德经》，人类日益需要《道德经》。今天，张南君把《〈道德经〉诗译》献诸世界，可谓是一大盛事。

老子和他的《道德经》在中国蒙尘久矣。

在人类文明史上，古印度的释迦牟尼和中国的老子都曾怀着追求真理的强烈愿望，以崇高的品格、坚韧不拔的精神，克服身心的障碍，终于认识到宇宙万物与人的生命运动、发展规律的联系，找到了一条脱离痛苦与黑暗，走向幸福与光明的大道。但是，由于他们自身的社会背景不同，两位圣哲在当时与后世的境遇相去甚远。处于重精神文化的古印度，释迦牟尼是高徒十名，罗汉五百，弟子三千，从者如潮，王公礼拜，万众供奉，语必众闻，言必成经。处于官本位文化氛围中的老子，却门庭冷落，孤身独行，"天下莫我知，莫我行"，尽管他为人们铺设了一条修身养性、完善自我、立身处世、安邦治国的大道，却不被时代所认识、理解、接受。整个春秋战国时期，除了尹喜请他著《道德经》，庄子、孔子提到过他，韩非子为《道德经》作注，庄子在著作中崇拜他，孔子的孙子子思积极学习他的思想，就再也找不出其他社会影响的痕迹。

老子思想的伟大与正确，在以后的时代里得到了从帝王将相到在野的隐士阶层的理解和认同，其著作被公认为修身、齐家、治国、平天下的至上法宝，并被认真研究和运用。其中，三国魏时期的王弼对《道德经》版本的完善及唐太宗李世民亲自参与对《道德经》的研究与弘扬，可谓深得老子思想的精髓，保存了《道德经》的本初风格。而在此前后其他在野之人所著之注疏，如《老子想尔注》《老子河上公章句》等也有所贡献，他们强调指出老子的思想是修身养性之道，这样就实际上形成了在朝的治国之道与在野的修道之道的争执。

进入现代，由于对历史文化的淡漠而对哲学问题看得太紧，又有学者执着于老子思想之争。这些论争大有隔靴搔痒之嫌，因为老子所处的时代，人们并不重视哲学，只是思想中隐含一定的哲学方法，哲学不是"先天地生"学问，它是人类认识世界的副产物。和老子差不多同时代的释迦牟尼，也不是哲学家而是洞悉宇宙万物、认识自然真理的圣贤。如果从哲学角度去解读他们，就本末倒置了。此外，修道是一种身心实践活动，古人即是修道所悟，我们如果不严格按人家的方法去"悟"，实际上就没有什么发言权。

到了当代，随着学术研究成果的积淀、道学文化的复苏，对《道德经》的研究又有新的发展，哲学问题被淡忘，但朝野两派的争执越来越大。代表传统在朝思想的，首推陈鼓应和任继愈二公。尤其是陈鼓应先生的关于老子思想的解注与评价方面最为丰厚，大体上颇能服人。但无论从哪一角度来看，各家都未能对修道内容有完全正确的解释。在野的隐士派虽然对这些内容的解释也颇能服人，但一般都把与修道无关的思想方法论、立身处世、安邦治国的内容硬说成是修道内容，让人觉得离谱。

从整个历史看，《道德经》是当时的杂记体著作，内容虽有修身养性、辩证法、立身处世、安邦治国等方面的内容，但却是以时间前后顺序记录下来的，没按逻辑关系排布，故在整体上很难予以正确地把握，它需要进行逻辑关系整理，各部内容应各归其位。但在整个春秋至秦汉时期，人们没有这样做。此后《道德经》受到以李世民为代表的帝王的推崇，世人即使想这样做，也不敢做。错过这些机会以后，即使是智慧超群的后学，也没去做。

正如张南君所看到的一样，由于《道德经》未按逻辑关系排列，所以读起来就像走迷宫似的，整体上难以把握，字句上也就难免歧义丛生。有些重要字词，如在当时文化背景下常用其本义，其引申义也人人心领神会的"玄牝"等词，以及不大常用的合用短语"谷神"等等，自古以来就没有一个予以正确的注解，从而给好事之徒们谬谈"玄学"以可乘之机。

《道德经》又是那个时代的自由诗。从而蕴藉着"文约义丰"的独有文化特色。而在朝派僵硬的注释确实令人感到只做了一半的工作，在野派也有尝试用诗来翻译。但那些七言诗翻译出来更加僵硬，又让人感到还不如散文式的直译好。这样，《道德经》的诗译工作也成了一大历史遗留问题。

正是在在朝派研究前行无路之际，在野派显得空前活跃，由于根本问题（逻辑关系）未予解决，在野派在修身养性方面确实提供了越来越多的正确论据，但他们在其他方面都重蹈覆辙，在错误的路上越走越远。

更为可悲的是，有些人还故作惊人之谈，例如把《道德经》全部说成是什么"隐语"，于是乎肆无忌惮地胡猜乱测，这样，对于《道德经》的乱译、谬谈几成时尚，老子思想的传播就面临着一场严重危机。

张南君就是在这个时候，毅然站了出来。他所著的《〈道德经〉诗译》，对《道德经》作了逻辑关系排布，以正确无误的直译真实地传达出老子的思想，以传神达韵的诗译揭示出原作的深刻含义和感情色彩，使《道德经》不再难懂，不再歧义丛生，不再给人以曲解、穿凿附会的机会。今天，一部闪耀着活生生的老子思想、感情，贯穿着严密的逻辑脉络的《〈道德经〉诗译》出现在我们面前，这难道不是读者的幸运吗？

张南君之所以取得如此巨大的成就，首先是因为他站在许多前贤的肩上，历史不仅为《〈道德经〉诗译》积淀了物质基础，也在新的时空里提供了新的文化基础与心理基础；此外，张南君个人的特殊涵养、智慧、人格，也是他能完成这一巨大工程的重大因素。

在中国学术文化圈子里，张南君是一位曾经令人难以理解的人物，他少年时期即颇具才气，青年时期迷上了写作学理论，且深得业内权威人士之一、中国青年写作理论家协会主席马正平教授的厚爱。正当他应有所作为之际，却又转向哲学研究，继而又以治《诗经》《离骚》《老子》为务。十余年间竟杳无音信。当他拿出《〈道德经〉诗译》手稿来时，实在令人惊喜，惊喜之余，更为其一丝不苟的历史唯物主义精神及扎实的写作美学、哲学功底而感佩！

1983年他开始研究《道德经》。在读了大量先贤的注疏后，他深为不满，继而自觉承担起使《道德经》脉清、义正、传神、达韵的历史重担。这是几千年来许多研究《道德经》的学者连想都不敢想的事，何等繁难，可想而知。稍有不妥，不是流于平庸，就是功败垂成。

作为一个一意求真的学者，他深知自己应当怎样完成自己的使命。他完全按老子所说的悟道方式，抛开书本，远离是非，以老子的方法再度体验老子的心态。十多年来，在身心合道的深切体验中，他的头脑一次又一次地闪耀着灵感，以至每一个在历史上任何版本中都未曾解释清楚的字词，真实含义是什么，依据何在等等，都一一详尽。他仍不满足，继而又决定以最好的诗歌艺术为《道德经》传神达韵。为实现这一切，他依然是以空明的灵感在禅定中去完成美妙的建构，终于"面壁十年图破壁"。现在，当人们读到他庄重严谨的导论，读着传神达韵的诗译，是否能想到这完全出自于身心合道的空灵呢？

作为一个求真者，他忠实地进入老子的情态、心境，而完全无意一展才华。老子五千言文约义丰，感情复杂，历史上各家各派解说出入甚大，但张南君理清了"修道—悟道—弘道"这个前后相续、因果相承的线索，以及"弘道"又分辨思维、立身处世、安邦治国这几个并列成分后，将每章各归其位，从整体上把握住了思想的准确无误。每章的诗译，他又注意主题、情调、节奏的不同，以"传神、达韵、发幽、阐微"为诗译的美学标准。为此，在体裁上，他不拘一格、灵活多变，语言上力避用典，即使一用，也绝不因辞损意，故雅俗不拘随遇而化，用他的话来说就是"缘情成体，步韵生文"。为了忠实地再现老子"不言之教"的精神，他甚至不为每首诗命名。这样的结果，使他的诗译如行云流水，自然、流畅、优美。读着他的诗译，几千年的语言障碍烟消云散，老子慈祥、睿智的形象似乎就在眼前，那赤诚、深挚的朋友与长者的情感以及崇高、伟大的人格直接感染着我，产生着灵魂的震撼。张南君以超越前人的努力实践了老子"返璞归真"的原则。译作传神而不造神，达意而不寓意，发幽阐微而不离根本。这种无意"立言"的结果使诗译神形兼备，达到了"高葆真"的效果。从而在诗译中完成了庄严的历史使命与艺术使命，产生了十分珍贵的艺术价值、美学价值和学术价值。或许，它为翻译古代重要哲学、艺术文献提供了一个新的成功范例。

《〈道德经〉诗译》的成功，是老子思想的又一种成功，是治学态度严谨与独异的治学方法的成功，它本身就是意义重大的。

序 二

此书如何不一般

文康盐

张南老师，是被企业家余先生作为"奇人"为我隆重引荐的。据他说，又是一位名人将其作为"高人"介绍给他认识的。

在深圳梧桐山下，与张老师第一次握手，即成知交。他赠我的见面礼就是这本《〈道德经〉诗译》十六年前的首版，并在扉页手书："道冲，用之不勤；渊兮，万物之母。"

那天，是2017年元月5日。

获赠此书后的一年多时间里，我先后拜读过两遍。第一遍是通读，第二遍是研读。让我深有感触的地方，大致有以下几个"不一般"：

第一个不一般，是写作初心不一般

面对"众多译著谬误纷出""以致妄说曲解"，发愿"有朝一日，定为《道德经》诗译，以使老子思想以清晰的脉络、明白无误的语言、传神达韵的风姿畅行于世，不愧对老子在天之灵"！

有目的性的作者常有，而有使命感的作者不常有。

第二个不一般，是写作状态不一般

张老师写作本书时，并不主要处在常见的能量"输出"状态，而是能量的"输入"状态；不是在煞费苦心地"创作"，而是在不由自主地"记录"；不是在"发送"，而是在"接收译码"；欲罢不能，"写作甚速"。就我个人有限的《道德经》著述涉猎面（一二百种）而言，这种创作状态、过程，还是第一次见识。

曾有名家研究认为，老子书写《道德经》是在一种"道引"状态下一气呵成的。一直以为，这种情形只有出现在老子身上才是可能的。现在看来，真是孤陋寡闻了！

第三个不一般，是知识层次不一般

张老师早年所遭遇的"生命奇迹"，令他的人生有了更多修悟，也奠定了日后的康养事业传奇。著作是作者经历和知识最好的反映。以牟宗三先生对知识层次"常识知识、抽象知识、直观知识和道心知识"的分类来看，本书可见"四维知识"的交织。而坊间绝大多数老子或《道德经》研究著述，更多的还是限于"常识知识和抽象知识"的层次，较高层次的知识即"直观知识"比较少见，而最高层次的"道心知识"就更是凤毛麟角了。所以一本论道的书，首先在知识层次上，已经结构性地分出了高下。

第四个不一般，是结构内容不一般

《道德经》最要命的地方，是让你"执迷不悟""求之不得"直至"皓首穷经"。

在此，张老师紧紧围绕"道"这个核心，以一种逻辑关系重新展开老子八十一章，梳理出一条清晰的思想脉络，创造出全新的"结构内容"。先将八十一章"裂变破壁"，再将有着某种深刻联系的篇章按需分类"聚变重构"，激发出一加一大于二的新营养，极大地提高了读者对《道德经》思想精华的吸收率与转化率。

在一条大主线"修身养性之道—思维方法之道—立身处世之道—安邦治国之道"的下面，交织着一条"问道—修道—悟道—弘道（辩证法—致士民—致君王）"的复线。这个"编排逻辑"实质是思想逻辑。作者的认识水平、思想水平、科学水平全都体现在这上面。可以看到，这个逻辑，就是认识论的逻辑、实践论的逻辑，就是老子作为一个活生生的人，从"人"到"圣"成长变化的历史逻辑；不仅勾勒出老子思想的发展轨迹，也勾勒出了老子伟大的一生。

这是历史唯物主义的逻辑。

第五个不一般，是表现手段不一般

如果说上述思想脉络就像演绎《道德经》的新乐章，那么，构成每一章节内容的"原文""按""直译"和"诗译"就是一组"四重奏"。各有侧重、层层应和。而其中的"诗译"部分，就像首席小提琴，诉说着荡气回肠的主旋律。

"诗译"部分尤其"难"得。

全书（第一版）译诗共1043行，竟然"一韵到底"！即使在世界诗歌史上，这也不多见。因此读起来如长河一贯、气势撼人！

更绝的是，这个"韵"带来了实实在在的"功能性"。"所选择的韵部和感悟到的一样，为了表现出心灵中的清远智慧感，采用银铃般的'壬辰'韵……从修道的实践来看，'壬辰'韵与心脏的音频谐振，正好表达深沉与庄严感，正好运载出隆重而清远的音乐主题。"

我常说，中华文化的伟大复兴，关键在其功能性的复兴，否则"复兴"只是句空话。此之谓也！

第六个不一般，是给人启迪不一般

本书给我个人的启迪，很有意思，"启迪在书外，答问不分离"。

一些在书中不会直接找到的、以前也没有想到的或根本性的问题与答案、或论断，随着阅读进程不断涌现出来。比如：

两千多年来，老子恰恰是因为让人们"读不懂"才愈加伟大，为什么？

修道，究竟是修什么？

…………

这些书外问题和答案几乎是在某一瞬间、整体地同时出现的。而一瞬之中，顺序竟然是先答案后问题。

这些"高深"的顿悟，没有挖空心思去设问，更没有冥思苦想去解答，都是在阅读中"不期而遇""不求而得"。

以上，谨以拜读本书时的点滴心得作为再版序言，向张老师敷衍交差。祈望我的人微言轻、浅见陋识，不致影响读者对本书价值的判断。

　　作家毛志成有个著名的"三新论断"，作品看三新——题材新、立意新、手法新；三新齐备旷世杰作，拥有两新好书难得，具备一新即可出版。张老师这本专著，最起码也是足料的"两新"。好书难得，值得推荐！

2018年4月18日于广州

自 序 一

天网恢恢 疏而不失

——老子《道德经》

产生诗译《道德经》的想法，是十多年前的事。当时与人论及有关《道德经》译释问题，认为其他译著仅限于注疏的连缀，作为诗歌体的原著，一直未有真正的传神翻译之作。稍后，又觉得《道德经》一书很需要进行一次逻辑线索的整理，作为笔记体的原著各章间本来有明显的逻辑关系，但各章内容以写作时间先后为序杂然而陈，一直令后世惑然难解。故众多译著谬误纷出不可收拾，对其整体思想的把握，更是见仁见智、莫衷一是。以致妄说曲解之辈故作惊人之谈，竟无人责难。见此情景，遗憾良深！尝暗自云：有朝一日，定为《道德经》诗译，以使老子思想以清晰的脉络，明白无误的语言，传神达韵的风姿畅行于世，不愧对老子在天之灵！

十余年，余弃文而潜心修道，似乎渐渐忘却了十多年前的初衷，然有关《道德经》译释中历史遗留问题在灵感闪耀中不断迎刃而解，渐有成竹在胸。今年春三月，花红柳绿之际，忽然，雅志清发，诗情勃兴，空中乐音悠悠，遍地歌咏绵绵，竟至于情不自禁，创作了几首歌曲，殊觉怪异！忽一日，阵阵庄严弘远的乐音里，心下忽闪出《道德经》首章被译成的诗行：

永恒的道，没法说尽，
能够说尽的就不是永恒；
永恒的名，没法命名，
以"道"为譬喻是无可奈何的谓称。
…………

本人驽钝，但也忽然明白：诗译《道德经》是瓜熟蒂落之事了！

我每天以无瑕的虔诚，不舍昼夜，决心不枉老子，不负先贤，不误后世。灵感纷至，写作甚速！只用两天时间便完成了逻辑整理，直译与诗译，各用了六天时间，每天进展都一样。巧合乎？天意乎？

"天网恢恢，疏而不失"，诗译中倘有不慎，便自动停笔。待修改好后，方才继续译下去，写成后一段时间，不论行走坐卧，心中自然浮现出所译诗章，觉冥冥中可告慰老子与历代为《道德经》治学的先贤而无误于后学矣！

译释中，参考任继愈先生《老子新译》，陈鼓应先生《老子注释及评价》，深有所得。诗译后，承蒙陕西人民教育出版社沈勇先生赐教甚丰，复蒙吴颖达先生审校，又得恩师、中国青年写作理论家协会主席、四川师范大学马正平教授审读与奖掖，获益匪浅。在此一并深为谢忱！

1997年11月30日

（本篇为作者2002年在三秦出版社出版的《〈道德经〉诗译》中的序。）

自序二

《〈道德经〉诗译》发愿于1985年，写成于1996年，第一次出版于2002年，当时在老同学沈勇的支持下在三秦出版社出版，大愿初了，有宽慰有感慨！后来自己细查，觉诗译中有一首未尽其意，另版面也稍嫌逼仄，留下一个时代的印记，略有不爽。

时过境迁，人也随元和健康事业到了深圳。在这里认识了企业家余先生，以及企业战略经营管理执鞭者文康盐先生（微博@穿牛仔裤的鬼谷子），照例把所存之著作《〈道德经〉诗译》赠送给二位，二位读罢，颇为赞赏。近一年后，余先生出于对优秀传统文化的一贯热衷，主动提出支持出版《〈道德经〉诗译》修订新版。感激之下，本人欣然从命！余先生多次表示，只务其实，不留其名。

文康盐先生身为中国企业战略经营管理执鞭者，许多企业众望所归，其烦其劳，可想而知！文先生却以近一年时间，读《〈道德经〉诗译》几十遍，然后慨然执笔作序，吾深感厚爱，更钦佩其严谨的学者风范，不言之教，受益终身！

本书在校对过程中，得元和健康文秘校对小组成员的大力支持，更得深圳海天出版社悉心查校，排版设计，使本书得以新面貌新气象出现，尽弥憾意！在此向各位深致谢忱！

本书从立志著述至今，凡33年，可谓潜滋于暗昧，初现于风雨，挺立于严寒。现在，正值中华民族优秀传统文化复兴之际，社会各界友人对此书寄予厚望，我也为花甲之年能欣逢盛世，敬奉毕生力作，并以此敬圣哲、承文明、泽社会、强国运而大为荣幸！

家兴凭孝子，国盛靠良臣，而孝子良臣，皆以圣贤精神为本。在此深愿中华民族优秀传统文化能长盛永存，中华民族永远行进在自强不息的大道上！

2018年6月7日

目　录

导　言

很早就有一个愿望：从辩证唯物主义和历史唯物主义出发，给《道德经》这部伟大著作一个不枉老子、不负先贤、不误后世的信实之论，还作者一个清晰的脉络，给历史一个公正的评价，给后世一个正确的指南。简言之，脉清、义正、发幽、阐微。我认为，《道德经》这部贯通中华2500多年历史、响震中外的思想名著，不能再蒙尘忍垢，任人随意曲解，穿凿附会，而应让她如金星长耀，光明永照。

　　首先要做的工作就是使之脉络清晰。

一、《道德经》原作脉络非清不可

　　《道德经》脉络不清，前贤早已明察。胡适云："今所传老子的书，分上下两篇，共八十一章。这书原本是一种杂记体的书，没有结构组织。今本所分篇章，决非原本所有。"（胡适《中国哲学史大纲》）胡适之言虽嫌武断，但循序而读不识脉络，却是一个实在的问题。

　　《道德经》脉络不清，在于它是"杂记体"。它与孔子的《论语》属同一时代，《论语》也是杂记体，但是史家言之凿凿地指出，《道德经》稍早于《论语》。老子以笔记体写成这部书，自有特殊的原因，司马迁在《史记·老子韩非列传》中载："老子者，楚苦县厉乡曲仁里人也。姓李氏，名耳，字伯阳，谥曰聃，周守藏室之史也。……老子修道德，其学以自隐无名为务，居周久之，见周之衰，乃遂去。至关，关令尹喜曰：'子将隐矣，彊（强）为我著书。'于是老子乃修书上下篇，言道德之意五千，余言而去，莫知其所终。"

写书之因，是因为老子（李耳）退隐，经过城关，把守城关的官员令尹好说歹说，将老子挽留下来为其著述。不是写别的，而是写《道德经》。

关于书名，恐怕是后世加的。当时恐怕就签个"老子"就罢了。故又有其名《老子》或《老子五千言》。当时的书名，有以内容命名的，如《易传》；有以表达形式命名的，如《论语》；有以作者名字命名的，如《墨子》等。所以，以《老子》《老子五千言》《道德经》为名，都是不错的。以现今习俗，说是《道德经》更宜。

《道德经》不是一般的书，里面涉及自然科学、哲学、个人涵养、修身养性、为人处世、军事、政治、外交等丰富的内容。一句话：文约义丰。这样庞大的思想内容并非分门别类地写出来。从风格来说，作为一个史官，恐怕难免受当时历史笔记体的体裁影响，但是，更重要的是，作者是因"修道德"而闻名遐迩。他被挽留住，令尹不是要他系统、分门别类地表述各种思想，而是要"学道"。所以，《道德经》开篇不是讲学道的方法、意义、效果，而是从哲学的角度讲"道"的普遍性、永恒性和它与自然万物的关系。全书给人这样一种感觉，老子写作时，有时在和令尹问答，有时在阐发自己的思想，而这一切都是以时间先后顺序记录下来的。所以，全书比较圆满地表达了各种思想，但还没有把它按逻辑顺序予以清理。所以，不论是以王弼为据的通行本，还是汉一号墓出土的《道德经》帛书甲、乙本，都比较信实地反映了书的原貌。其特点是内容之间互相交错,同一内容在章节上很少有在顺序上前后相连的。例如,修道的内容有六章,分别处于第56、54、20、12、53、48章,辩证法部分,分别处于第50、63、45、18、21、2章。

因为脉络不清,《道德经》读起来就让人难懂,弄懂一部分内容就常令人乐以忘忧。故有人把它视为哲学著作,有人视为军事著作,有人视为政治权术,有人视为修身养性的专著,有人视为为人处世的诀窍……因为难懂,更有人把它视为不可知的玄学,故作神秘地谈什么"玄之又玄",有人把老子的"无为"等思想视为没落、反动、愚顽。修身养性者们也大误其意,以出家清修,不问世事为荣;有人缘木求鱼,宣扬什么"老子秘义",在词义之外去寻找什么"隐语"。

我不想再引述那些误解与谬论,以免玷污纯洁的圣坛。我只是想说明一点:《道德经》的原作的确是脉络不清的,而使之清晰的工作非做不可!

二、《道德经》脉络考

《道德经》的逻辑脉络清晰可辨。

《道德经》的思想产生于"道","道"又不是凭空而生;而"老子修道法",《史记·老子韩非列传》明白无误地指出:"道法"是"修"来的。视老子为内丹派祖师的道家信徒们至今仍在"修道"。什么是"修道"?《道德经》第56、16章等指出,修道就是"塞其兑、挫其锐、解其纷",就是"致虚极、守静笃",就是"抟气致柔",也就是东方古今皆通行的调身、调意、调气。《道德经》原书主要有第56、54、20、12、53、48章专论修道，所以，应当把这一部分提出来，放在全书的前面，构成《修道篇》。

《修道篇》简明一览表

序号	原章	关键词句	意蕴	备注
1	56	塞其兑、挫其锐、解其纷	调身、调息、调心	
2	54	修之于身　修之于国	修道目标，立志	后学无志而修，乃大谬误
3	20	善之与恶，相去若何	排除心灵干扰	
4	12	五色令人目盲	戒声、色、犬、马，收摄心志	
5	53	唯施是畏	须有恒志	
6	48	为道日损 以至于无为 无为而无不为	修道心已大定	由解其纷到无为无不为，是一个质的飞跃。无为思想发生于此

关于修道的具体问题，没有必要作更深刻的阐述。本书后面列的助读资料更便于读者心领神会。这里须强调的是，老子之所以能获得如此巨大的成功，不仅是因为他能持之以恒，排除干扰，平息杂念，而且因为他有一个高远而正确的目标。后世的许多修道者以清静、"自隐无名"为务，实乃一些外行的误解。这些误解只能引出错误的人生观，正所谓差之毫厘，谬以千里。

老子为什么修道？因为生命之谜是一个任何时代、任何人都十分关注的课题。老子所处的时代，有修身而长寿的彭祖吹呴吐纳的导引功之余韵，有无骨子辟谷食气的传统，有用于武术强身、防病治病以及开启智慧、明达人生的"善摄生者""善为士者"种种修身奇迹。对于社会，老子身为一个史官，"见周之衰"，已是英雄无用武之地，故对修身之道特别勤奋。可想而知，原书第50、55章作为这方面的记载，故应放在全书之首，构成《闻道篇》，或者说是《奇闻篇》。正是这些奇闻使老子走上了修道之路。

《闻道篇》简明一览表

序号	原章	关键词句	意蕴	备注
1	50	闻善摄生者，陆行不遇兕虎，入军不被甲兵	强固效应	
2	55	含德之厚，比于赤子。蜂虿虺蛇不螫，猛兽不据	修道的强身、防病、健体效应	

　　修道不仅可以强身、防病治病，修道本身是对宇宙自然最深沉、最伟大的力量的体验和认识。有验无知，是谓得功；无验有知，是谓妄断；有验有知，是谓开悟。原书第43、47、14、25、16、4、6、34、1、52、21、77、51、32、40、37、42、39、62、10章，共20章，尽言修道的感觉、体验、认识，构成全书逻辑链上的第三个环节，可称为《悟道篇》。

《悟道篇》简明一览表

序号	原章	关键词句	意蕴	备注
1	43	天下之至柔，驰骋天下之至坚。无有入无间	气感的反应	"不言之教，无为之益"的哲学思想发生点，贵柔思想
2	47	不出户，知天下。不窥牖，见天道	非眼视觉	以非视觉来认识自然规律，是老子的基本方法
3	14	视之不见，名曰夷；听之不闻，名曰希；搏之不得，名曰微	对道的深刻认识，为道命名及思想过程	
4	25	有物混成，先天地生。大曰逝，逝曰远，远曰反。人法地，地法天，天法道，道法自然	对道的构成及运动规律的认识	功成身退的人生观，无私奉献的精神，贯穿全书
5	16	致虚极，守静笃。万物并作，吾以观复。夫物芸芸，各复归其根。归根曰静，是曰复命，复命曰常，知常曰明。不知常，妄作凶	对生命普遍规律的认识，生命有生必有死	
6	4	道冲……似万物之宗。象帝之先	道为物质本体，道为精神本体	

续表

序号	原章	关键词句	意蕴	备注
7	6	谷神不死,是谓玄牝	指出静心修道是万物生命之源	
8	34	大道氾兮……功成不名有	道的人格化抽象	与第25章相呼应
9	1	道可道,非常道……常无欲以观其妙;常有欲以观其徼	从宏观微观两方面来阐述,在修道中认识万物的方法论	以第47章所述的非眼视觉为工具
10	52	见小曰明,守柔曰强(执古道以御今之有)	用"道"的原则方法来建立理想的现实的愿望	全书的宗旨
11	21	孔德之容……其中有精。以阅众甫	微观粒子论,粒子信息观	
12	77	天之道……损有余而补不足	对道的双向调节性提示	平、正思想之基础
13	51	道生之,德畜之	尊道、贵德思想的基础	
14	32	朴虽小,天下莫能臣也	对微观粒子基本性质的确认	
15	40	反者道之动,弱者道之用	物极必反理论	贵柔的思想之一
16	37	道常无为……吾将镇之以无名之朴	志在天下	与"修之于国"相呼应
17	42	道生一,一生二,二生三,三生万物	对宇宙万物由微到显,由空到实的变化规律描述	此句成为道家对易学的定论
18	39	昔之得一者……贵以贱为本,高以下为基	贵弱守"一"的理论依据	
19	62	道者,万物之奥,善人之宝,不善人之所保	强调道为万物之母	"天地不仁"思想的产生基础
20	10	载营魄抱一,能无离乎	精辟地总结修道的几项原则、方法、目标、效果	

从"悟道篇"的表中可以看出,老子修道是在心境大定之后,得到"天下之至柔,驰骋天下之至坚"以及"惟恍惟惚"的"气感"后,又产生了"不出户知天下"的非眼视觉,然后再以体感与非眼视觉对道作反复体验、观察,对这种未知物质予以命名。进而运用非眼视觉对生命之源流、运动规律作了反复观察、认

识，从而和与他同时代的印度佛陀一样登上了一个令人神往的思想高峰。

出于"修之于国"的最初动机，他没有停止前进的脚步，而是主动承担起了"执古道以御今之有"的历史使命。他要用道的平正、贵柔、相反相成等规律教化世人，匡正时势。因而有了后面的弘扬道学思想内容。

修道是一种身、心的投入，所以，它既对身体健康有作用，也对心理功能、智慧有作用。对心理功能、智慧的影响，不仅反映在它使人认识"道"的表象、本质、运动规律，还反映在它使人对认识哲理、人生、社会、政法、军事、文化、艺术等豁然开朗，如云开日现。作为道家敬为鼻祖的老子，他之所以享有如此崇高的地位，还在于他的智慧之光千秋朗照。他用笔记录下了他丰富多彩的智慧，力图让这些智慧造福时代，照彻后世。书中的这些内容就构成"弘道"这个后半部主题。

弘道，首先是把个别认识上升到哲学高度，在全书的许多章里都有这些智慧的闪光。但在原书第63、45、18、11、2章里较为集中、单纯，因此，我们把这一部分列出，称作《弘道篇·辩证论》。

《弘道篇·辩证论》简明一览表

序号	原章	关键词句	意蕴	备注
1	63	为无为，事无事	辩证观基础	
2	45	大成若缺	论清静之益	
3	18	大道废，有仁义	反论君子当求道固本	
4	11	三十辐共一毂，当其无，有车之用	有无之对立统一，智慧与物质的相互关系	
5	2	天下皆知美之为美，斯恶已	从辩证论无为之益	

世人公认，老子的辩证思想是非常丰富的。用辩证观分析与处理世事，令人十分信服！不少论断成为千古传诵的至理名言。辩证论的丰富性、完美性，反映了老子旷达的胸襟、高远明晰的智慧，读者在阅读中自会大受裨益。

然而，哲学不是老子的终极目标，也不是老子所关心的最大问题，一种补天思想使他的思想得到进一步发展。

如果我们多加注意一下第54章，就会发现老子是素有雄心壮志的，他要求令尹"修之于身""修之于家""修之于乡""修之于国"，实际上开创了"修身、齐家、治国、平天下"的一代高士新风。他自己在书中也作出了榜样。他关心那个时代的国计民生，可谓"位卑未敢忘忧国"。在那个时代，他只能把理想和希望寄托给为统治者效力的士民和统治者本身。这样，《道德经》里就有了很大一部分既不论道，也不言德，而是运用道的规律，抽象化的人格、精神来匡正时势，教化众生的内容。我们分别称为《弘道篇·致士民》与《弘道篇·致君王》。

《弘道篇·致士民》共有19篇，分别是原第5、67、15、27、7、38、23、44、13、73、76、24、9、78、33、71、22、41、28章。这里，我们先对这些篇章内容概况作一个浏览。

《弘道篇·致士民》简明一览表

序号	原章	关键词句	意蕴	备注
1	5	天地不仁　圣人不仁	论慎言	
2	67	天下皆谓我道大 不敢为天下先	论慎言	
3	15	古之善为士者 豫焉，若冬涉川	论慎行	
4	27	善行，无辙迹。善人者不善人之师，不善人者善人之资	论慎于待物	

续表

序号	原章	关键词句	意蕴	备注
5	7	天长地久 其无私邪? 故能成其私	弘扬相反相成的规律	
6	38	上德不德 失道而后德,失德而后仁	推论合道才是固本	
7	23	希言自然 同于德者,德亦乐得之	以人生短暂,论修道重要	
8	44	名与身孰亲	贵身固本	
9	13	宠辱若惊	反论贵身固本	
10	73	勇于敢,则杀 天之道,不争而善胜	贵柔思想的发挥	
11	76	人之生也柔弱,其死也坚强	贵柔	
12	24	企者不立	倡言重实在,固本	
13	9	持而盈之,不如其已	功成身退	
14	78	天下莫柔弱于水	论贵柔	
15	33	知人者智,自知者明。胜人者有力,自胜者强	认识自我,战胜自我,固本	
16	71	知不知,上;不知知,病	论笃实	
17	22	曲则全	论谦虚之益	
18	41	上士闻道,勤而行之;中士闻道,若存若亡;下士闻道,大笑之	论谦虚	
19	28	知其雄,守其雌	修人生之道的原则	

以上19章,很明确地是在指导士民们如何为人处世。以退求进,以静制动,固本以求发展。这些言论,无论在当时还是现在,都是至理名言。

老子在这一部分里似乎并没有强调修道。但是,可以看出,他的劝世箴言都是依据于道。例如前4章都是从言论、行为、思考、态度方面论谨慎的重要性。而谨慎,正是"致虚极,守静笃""挫其锐,解其纷"的抽象表述。在后面的15章里,他开导世人,要达到目的首先要超越这个目的,这正是运用了"道"的相反相成规律。他强调贵身固本,是从道为根本化生万物的感悟而来。他强调贵柔，是从"天下之至柔，驰骋天下之至坚"的感受以及高下相倾等哲理而来。他提倡"功成身退"，是从道"大曰逝，逝曰远，远曰反"而来。他倡导笃实、谦虚，是从"道冲，而用之不勤"，"大道氾兮"以及"致虚极"，然后有"惚兮恍兮""万物并作"的经验而来。这些思想既非平凡，也非超人，源流清晰可辨，它实实在在。

《弘道篇·致君王》部分共28章，也同样是深入弘扬道德学说，与修道篇和悟道篇构成清晰源流关系。

《弘道篇·致君王》简明一览表

序号	原章	关键词句	意蕴	备注
1	35	执大象……道之出口，淡乎其无味，视之不足见，听之不足闻，用之不足既	强调守道固本	
2	19	绝圣弃智，民利百倍	无为无不为	
3	8	上善若水	论伟大人格	
4	26	重为轻根	持重，勿轻逸，去奢	固本
5	30	以道佐人主者，不以兵强天下	"无为"的又一具体说明	
6	46	天下有道，却走马以粪	从战争与和平论无为	
7	29	将欲取天下而为之，吾见其不得已	去甚、去奢、去泰	
8	49	圣人无常心，以百姓心为心	不敢为天下先的具体说明	
9	3	不尚贤，使民不争	守静笃之运用	
10	75	民之饥，以其上食税之多，是以饥	指责"有为"为万祸之源	
11	72	民不畏威，则大威至	反论无为之益	
12	74	民不畏死，奈何以死惧之	有为之祸，祸及自身	
13	66	江海所以能为百谷王者，以其善下之	柔顺之益	
14	65	古之善为道者，非以明民，将以愚之	治民治心为本，治心以无欲为本	
15	79	和大怨，必有余怨	存善隐恶	

续表

序号	原章	关键词句	意蕴	备注
16	17	太上,下知有之	无为之益	
17	58	其政闷闷,其民淳淳	相反相成	
18	59	治人、事天,莫若啬	论节俭务实	
19	64	其安易持,其未兆易谋	论治乱	
20	80	小国寡民	政体思想	"静笃"之发挥
21	57	以正治国	倡平正、无为之治	
22	60	治大国若烹小鲜	辩证观	
23	36	将欲歙之,必固张之	相反相成	
24	69	用兵有言:"……不敢进寸而退尺。"	论战争指挥中空明、无为之用	
25	31	兵者不祥之器	用战宜惧反对有为	
26	61	大国者下流	外交贵柔	
27	81	信言不美,美言不信	论知人善任	贵本、贵笃实
28	68	善为士者不武	贵柔、贵谋、轻勇武	持重轻躁

老子写给君王的共28章,篇幅之大。内容涉及治国、治民、经济、外交、军事、生活享乐等诸多方面,深沉而高远,笃实而睿智。所以,许多帝王玩味无穷,明智的学者们认为《道德经》简直是一本帝王书,是有一定道理的。

老子的这些思想出发点在哪里?还是在"道"。以道的无为为根本点。在这一部分共有14章之多,其余的,都可以在"道"与修道的贵柔、相反相成、无为无不为等原理上找到依据。

原书第70章应当是全书的结语。它反映了老子在那个混浊的、人欲横流的时世里多么孤独,自己一番弘道的努力付诸东流,自己无权无势,就像怀揣美玉而穿着破旧衣裳的人,只有默默独行。

我们在理清全书的思想脉络后,就可以清除历史的误解,使《道德经》的思想内容得到澄清。

三、《道德经》的思想与思想线索

《道德经》是从闻道伊始，以修道、悟道为基础，阐发出作者对天地万物、哲理、人生、社会、政治的见解，源流分明，内容丰富，犹如纯朴的玉石，经千古的琢磨更加光明。然而，历史上——尤其是现代的思想家们研究《道德经》，大都是断章取义，难免指鹿为马；有的学者谨小慎微，但既无修道、悟道的切身体验，又无正确的思想线索可寻，故亦多谬论；一些修道经验者之论，又多嫌粗陋。我们有责任对其思想线索提出自己的观点。

下面拟顺线索论思想：

1. 老子"修道"的历史背景与修道的理由

修道，我们现在称作"修身养性"。古印度称作"瑜伽"。老子所处的时代，尚无定名。不过，修身文化的行为可以上溯到万年以前，人类的原始文化的方方面面，都有修身文化的烙印。中国也不例外。从《闻道篇》老子对"善摄生者"的记述，以及在《弘道篇·致士民》中"古之善为士者"的敬重态度来看，在老子之前，中国先民的修身文化已经相当发达。

人类在那个时期，修身文化的成功者曾经仅仅是巫祝、先知、受人敬仰的首领一类人，修身文化——一种占统治地位的文化，也由他们传播。他们为了健康、智慧而带领整个部族或部族联盟的人修持。因此，那个时期的修身文化具有高度的竞争性和广泛的群众性。

修身文化用于健康，有明文可鉴。《黄帝内经·素问·移精变气论》云："余闻古之治病，惟其移精变气，可祝由而已。"这里就讲述了人们口中念念有词为人治病的情景。

　　修身文化用于健身，方法早已是多种多样，夏代有禹步、巫舞，商代有以修身导引功而长寿闻名的彭祖"导引行气法"，周代有邛疏"能行气炼形"。

　　由于共同奋斗的需要，修身文化不是部落内互相保守的秘密，而是大家必须训练的健身内容。因此，上古曾有伏羲氏"含哺而熙，鼓腹而游"（《庄子·马蹄》），以至"其民无嗜欲，自然而已。不知乐生，不知恶死，故无夭殇；不知亲己，不知疏物，故无爱憎；不知背逆，不知向顺，故无利害。都无所爱惜，都无所畏忌。入水不溺，入火不热，斫挞无伤痛，指擿无痟痒"（《列子·黄帝》），这样的集体效果，在当时恐怕并非罕见。

　　修身文化在上古使人智慧洞开，创造出种种奇迹，也是修身文化发达的原因。指南针的发明即是一例。

　　相传5000年前，黄帝和蚩尤两个部落发生了战争。当时大雾迷漫，黄帝兵众被围困，辨不清突围方向，几遭灭顶之灾。这时，黄帝部落一个叫风后的人闭目打坐。良久，忽然睁开眼睛道："有了！"就制造了一个指南针，让兵众始终向一个方向冲去，终于突出重围，最后取得了战争的胜利。

　　中医经络、穴位学、伏羲八卦、周易八卦等令现代科学为之倾倒的文化，都是修身文化开智的产物。

　　修身养性使人健康长寿，抵御疾病，使人产生搏击的力量、技能，于战斗中保护自己、消灭敌人，使人获得文化艺术的快乐，使人认识宇宙人生那么丰富的真理，这就是老子修道的时代背景，这就是老子修身养性的理由。

2. 老子怎样修道

不论是修道者还是不懂修道的人，对这个问题往往忽略或是见地不明，因而对修道、对老子的思想产生误解，误人亦误己。

赞赏者激赏其"塞其兑，挫其锐，解其纷"，以为修道就是完全不问世事，一心超脱，优哉游哉，一心"飘飘乎羽化而登仙"（苏轼）。反对者则以其"消极、悲观"责之。

其实，老子人生态度之积极、理想抱负之远大，乃是世上罕见。他并不是为个人寻找解脱之道，不是练点长生久视的导引功，也不是为在乱世中有"入军不被甲兵"的强身效应苟活。《修道篇》第2章（原第54章）说得明白：他为了家人、家乡、国家、天下而修，而且警示后学者也走这条路。他虽不在其位，亦谋其政。他以富有的思想济天下，树立了中国知识分子修身、治国、平天下的风范。正是这种伟岸的人格，才产生了千古不朽的伟大思想，正是忍辱负重，珍惜人生，不慕虚荣的修道生活，才使他找到了真理。看看老子，再看看那些"看破红尘、不问世事"的修道者，那些故作神秘、一心求得心灵解脱、羽化登仙的求道者，他们实在轻微渺小，不足为道。而那些对老子的指责之词，令人遗憾！

3. 老子怎样"悟道"

前面说过，修道是老子修道有成以后的解释。怎样修？无非是导引、调息、调心。《道德经》里云："专气致柔"（《悟道篇·载营魄抱一》章），"致虚极，守静笃"（《悟道篇·致虚极》章），这里就明白地说出老子修道的方法，一是使呼吸轻、细、柔、长，二是使心灵平静。

按照修道训练的一般规律，使呼吸柔长，会产生"气感"；使心境平静，会产生特殊智慧。《悟道篇·天下之至柔》章："天下之至柔，驰骋天下至坚，无有入无间。"

轻柔的"道"在肌肤、骨骼、腑脏中穿行，没有切身体验确难理解，但这是事实。这就是《悟道篇·孔德之容》章里面记载的"恍兮惚兮"，"恍惚"犹"仿佛"，这个词恐怕是老子的发明：指心灵难以捕捉、把握、确认的状态；是人体能场受激发，潜能被开发出来作用于精神的反映。

这种感受是修道的一般规律。我国发掘东汉墓地，发现一个贵族的身上有一空心玉佩，上面有公元前380年的铭文：

"行气，深则蓄，蓄则伸，伸则下，下则定，定则固，固则萌，萌则长，长则退，退则天。天几春在上，地几春在下，顺则生，逆则死。"

这段铭文记载了"专气致柔"所产生的一系列生理、心理效应。宋元时期的道教人物俞琰在《周易参同契发挥》中更有精彩的描述："其和气周匝于一身，溶溶然如山云之腾太虚，霏霏然似膏雨之遍原野，淫淫然若春水之满四泽，液液然象河冰之将欲释，往来上下，百脉冲融，被于谷中，畅于四肢。"

在修道上，老子不是一个浅尝辄止的过客，而是一个勤奋努力、寻找真理、以"修身、治国、平天下"为使命的圣人。他忍受世人的嘲弄，避开纷乱的人群修炼，当他有了感觉后，更是"致虚极，守静笃"。这些努力，使我们想起了与他同时代的释迦牟尼。他也和认识到"真如"的释迦牟尼一样，获得特殊的智慧，认识到了自然的本原——"道"。

这个"特殊智慧"就是第六感官，也称"非眼视觉"。老子在完全放弃自我的时候，见到了什么？他首先见到了世间万物向他纷至沓来的景象，他把这种功能稳定、巩固下来，有了"不出户，知天下；不窥牖，见天道"的功能。这种功能是许多人都可以获得证明的。《明儒学案·江右王门学案》载：儒士胡直静坐六月，"一日，心忽开悟，自无杂念，洞见天地万物皆吾心体，喟然叹曰：'予乃知天地万物非外也。'"

老子利用非眼视觉，还从"恍兮惚兮"的状态中捕捉到了宇宙万物的本原——"道"。

"道"，惟老子特称，庄子称为"气"。庄子云："人之生，气之聚也，聚之则生，散之则死……故曰：'通天下一气耳。'"《行气玉佩铭》亦称为气。后世为了与空气表示区别，称为"真气"。这都是从"真气"能像空气一样聚散、升降、出入、循行的特征而言。但老子更为严谨，因为空气不能"驰骋天下之至坚"，所以，他不命之为"气"，而是考察这种物质与万物的关系，准备从本质上命名。

"非眼视觉"的特征就是从事物的各个方面去观察事物。古印度瑜伽就有专门训练观察方法的功夫，把事物的正、反、内、外作荧屏似的透视，让事物的现象、本质、运动规律在面前映现出来，在时空上可拉长、缩短、移位。释迦牟尼如此，老子亦如此。老子正是用这种方法，观察并悟出了这样的结论："道"，是万物生命力的产生之源，也是万物生命的归宿。"道"总是自动地参与生命体的孕育、萌芽、成长，到事物衰老的时候，也正是"道"完成了它的使命，逐步退出生命体，返回宇宙的时候。

道，无形无象，柔和至极，无处不在，无所不存，也至大至刚，它产生宇宙万物，包括如"天帝"这类的精神体。它的运动规律支配了万物的运动。它是对立统一最完美的事物。万物依存于道，犹如道边草木依存于大道的泥沙水土，所以，老子把它命名为道。

道产生万物，是由微到显，由内部的阴阳因素互相吸引排斥，分化与聚合，破裂与圆全这样错综复杂的矛盾中演化。道在其中起支配作用，它总是自动地减损多余的，补充那些不足的，从而使万物生生灭灭，处于动态平衡。

生命的历程有长有短，但无论长短，比起道，都是短暂的，惟有道是永恒的。只有与道的规律相合，才会获得健康与平安，反之，就会自取灭亡。道永远处于宁静之中，正是在宁静之中完成了生命的孕育成长。万物因为宁静，才获得了生命力的蓄养和生命体阴阳平衡的调整；宁静，才与道的规律、形态相合，才会获得道的安抚，犹如婴孩回到母亲的怀抱。对人来说，不管你要增长智慧，还是增加体力，愿望和锻炼固然不可少，但还需要放松，直到仿佛完全放弃了自我，这样，道就会按照你的心灵目标补充你的智慧与力量。道，就是这样在看似无为的状态中做出了一切事情。

当然，要得到良好的发展，就要去掉过分的想法，既要有理想，又要承认现实。无"修之于天下"之心固然不可，但是穷奢极欲，为了私欲，脱离现实基础亦不可。因为道的规律之一是物极必反，相反相成，你放弃自我，才会赢得完美的自我；你处于柔弱，就会赢得刚强；你安于宁静，就会获得奔放。个人如此，团体如此，君王亦如此。胸怀壮志，心居宁静、淡泊之地，这样才能心有所得，心有所得即是"德"。欲求"德"，必合于道。

这就是老子悟出的"道"。从"道"中牵引出贵柔、主静、无为的学说，通行人生、社会、政治，铺开了"修之于天下"的一条大道。

4. 老子怎样成为无与伦比的圣哲

老子以"平天下"的雄心壮志修道，更使他的智慧如明星般升起，成为中国历史上无与伦比的圣哲。

无论何人，只要读到《弘道篇·辩证论·为无为》章，都会为作者严密的辩证思想所折服；无论何人，只要能基本上读懂老子的《道德经》，都会为他深邃的思想所惊异。著名的英国学者李约瑟先生曾指出："道家具有一套复杂而微妙的概念……它是中国后来产生一切科学思想的基础。"

老子哲学思想的源泉是"道"。这句话有两层意思：一是说它有些内容是以对"道"的认识为基础进行发挥。二是说它的有些内容是修道中的"顿悟"。关于前者，任何人都可以看得出来，如贵柔守弱的思想出自"天下之至柔，驰骋天下之至坚"的感受。对立统一的思想主要出自"反者道之动"的客观认识。至于"顿悟"，就是在修道入静的状态下突然获得的心灵感触，这里只略为提及，不必详加说明。

那么，老子的哲学方法论是什么呢？

有人说，老子是"朴素的唯物主义"，有人说，老子是"唯心主义"。事实上，老子的方法论是完美的辩证法与唯象论的结合。

唯象论是以主观见之于客观的经验为基础，展开学术思想。它是古代科学的基本方法之一。

例如，从日月运行与人体经络、穴位运动的对应关系，五声、五色、五味与五脏六腑的对应关系等经验验证，就产生了阴阳五行学说。自然科学的总纲易学、中医、音乐、舞蹈等古代学术思想，都是唯象主义的产物。唯象论不是稀奇古怪的东西，人类迄今为止的所有科学基础都不过是对客观事物表象的认识，都是本质意义上的唯象主义的产物。科学无止境，唯象论作为一种承认发展、变化、开拓的方法论，正是古往今来认识真理的正确方法之一。

老子的哲学思想主要体现在整个《弘道篇》，举凡人生、社会、军事、外交，可谓无所不及。在道学唯象论和辩证法的基础上，作者建立了自己横亘千古的伟大思想，成为民众的导师，伟大的政治家、思想家。

例如，从修道的无为到个人的立身无为，直至君王治国的无为，就是唯象论思想成果。

修道讲"无为"是手段，是途径，目的是强健身心，提高智能，改造旧我，实现新我。正如要收获粮食，先得耕耘、播种、施肥、除草，不能不耕耘就播种，不能拔苗助长，既不能未成熟就收获，也不能熟透了也不收割。修道就可以训练一种良好的人格、品质以及明察秋毫的智慧、勤奋笃实的习惯，把握时机的能力。

作为手段，修道反对急躁冒进，主张踏实沉稳，即是"知其雄，守其雌"，无数事实证明，人只有放松、入静、心无所住，才能获得能量的补充，才能固摄灵感、信息，获得最大的力量与最佳的智慧。诸葛亮曾总结道："非宁静无以致远，非淡泊无以明志。"就是说，无论认识自我，还是实现雄心壮志，都得心平气和，在宁静中去赢得一切，这就要求为了"有所为"就得"无为"。

无为不是消极颓废，不是对社会历史责任的推卸，对痛苦现实的回避，而是赢得成功的心理方法。佛学也指出，一个人为众生而修功，所得到的能力如果是大海，那么抱着自私自利、逃避现实一心求个人"解脱"的人只能是海中一滴水；如果前者是恒河的全部沙，那么后者只是一粒沙子。

修道的经验表明，当一个人完全放弃自我后，满足他目的的力量、智能就会潜滋暗长，就是"无为而无不为"。这确实是人使自己壮志得酬的正确方法。老子在无为中感到了充实而浩大的道，使人可以超越生死、超越寻常，获得特殊智慧，认识到宇宙万物的生命规律，所以，他最有资格说"无为而无不为"。这就是胜于任何雄辩的事实。

那么，立身处世是否可以而且应当"无为"呢？

答案是肯定的。作为有志者，同样应当"为无为，事无事"。"无为""无事"，才能使人有大将风度、智者风范，准确地捕捉时机、创造时机，赢得成功。要识庐山真面目，既要入乎其中，又要出乎其外；既要远视，又要近观；既要横看，又要侧看。人的智能基于人的生命体，人的生命体根植于道，"致虚极，守静笃"在哪里都是正确的原则。

对于侯王、国君们，"无为"还可以作为原则吗？回答是肯定的。奉劝君王们"无为"，主要有通行本第19、49两章。老子要求君王"绝圣弃智""无常心"，指出如此一来，就会"民利百倍"。

这里的"圣"（圣明）与"智"，有特定的具体含义。即侯王们视百姓为任意驱使宰割的羔羊，他们为自己骄奢享乐而不顾国力、实情，不顾百姓死活而享各种淫欲。

春秋时期，周室衰微，群雄竞起，各地诸侯征伐不止，争相称霸，以武力号令天下，实际上取代了周王室。实力强大的诸侯国不失时机地发动战争，兼并小国。为争夺地盘，大国之间也互相冲突。对于弱小之国来说，不管臣服谁与不臣服谁，灭顶之灾旋踵即至，大势岌岌可危。对大国强国以至霸主来说，一方面有树大招风的危险，一方面有不可一世的威风。

"亡国之音哀以思"（《礼记·乐记》），在这样的情况下，一些自知难以图存的君王们大多追求及时行乐，穷奢极欲，肆意挥霍；另一些已经威震四海的霸主们更是不甘落后；还有一些准备东山再起的侯王则厉兵秣马。这些行为的结果就是横征暴敛，使百姓妻离子散，家破人亡。可见，侯王们的"圣断"与"明智"，不过是出于个人私欲，实乃祸国殃民，非去而不可。

"绝圣弃智"以后怎么办？那就是"以百姓心为心"。君王们要顺应百姓的意志、愿望，站在百姓的身后去推动社会发展，而不是自以为是，不顾百姓愿望，站在百姓前面硬拉着百姓走，这就是"不敢为天下先"的具体内容，惟其"不敢为天下先"，一些政治经济举措顺应百姓，顺应历史潮流，君王显得"无为"，才能够"为天下先"，才能励精图治，当好一个侯王，真正成为霸主。这就是君王"无为而无不为"的道理。中国历史上的汉初"文景之治"，唐朝的"贞观之治"，都以"无为"为原则，成就了彪炳史册的盛世，从而证明了老子治国的"无为"思想的正确性，现代文明史上的一个个盛世，不也是统治者们"绝圣弃智""以百姓心为心"开辟出来的吗？

"绝圣弃智，民利百倍！"

5. 弘道：立身处世与治国安邦之道

老子怀着广济天下的雄心而修道，他找到的是一条健身开智、完善自我的大道。在这条大道上，他找到了真理，成为一代圣哲，一位超人，一位热爱生活、热爱人类的赤子，他竭尽全力引导人们认识错误、纠正错误，寻找高尚、纯洁、完善的自我，使社会安定、人民幸福，这就是他的《道德经》致士民、致君王部分的思想内容。

老子为什么仅仅寄希望于士民和侯王呢？——这是许多今天的读者难免提出的问题。

原因很简单，因为侯王与士民是那个时期最活跃、最强大的两个社会阶层。

侯王的作用就不必谈了，这里谈一下为什么老子特别重视士民。

老子所处的时代基本上是奴隶社会时期，社会上人数最多的阶层除了奴隶，就是士。

奴隶虽人数多，但他们基本上处于失去人身自由的地位。那么，作为士与自由民，就是社会中人数最多、影响最大的社会阶层。

许多人有这样的误解：奴隶社会除了统治者，就剩下奴隶了。其实不然，原始社会时期许多自由、相互平等的先民，不可能在奴隶社会一下子被剥夺了人身自由，他们中许多人必然作为自由民而存在，或种田或经商或做小手工业或习武从军、学艺谋生，或以智谋才学为官为僚。

如果说这些贫贱的自由民是生而俱来的，那么，另一些被称作"士"的自由民就是后天的，他们祖上甚至父辈、兄长都是王权网络中的人物，因种种功绩被任命为可以世袭的有爵位的贵族。这些爵位通常为长子所继承。除长子以外，其余的儿子多多少少能得到些照顾，几乎可以不劳而获。但这种情景延续下去，势必弄得国败家破，于是只好在爵位继承三代后，家族的贵族子弟不再成为贵族，这叫"三代不认亲"。这些人自动流入平民的行列；这些平民有一个好听的称谓，叫做"士"。

士以自己的本领谋生，他们有自由民的一切权利。从显赫的统治阶层下来，他们恐怕是最有上进心的民众成员。他们得学习一切可能学到的谋生手段。简而言之，有"礼""乐""射""御（驭）""书""数"等"六艺"，当然，远不止这些。

士，以其经商，可以富贵而显达；以其武功，可从军打仗，可为将校；以其安邦定国之才，可为重臣高官，重温贵族旧梦。许多名相、圣贤、军事家都是士，老子、孔子都属于士。

对于士，老子可谓寄予厚望。他从"道"的原理出发，以人格修养为核心，希望他们奋发努力，完善自我，从而实现自己有效的进取。

士与统治者的关系。一方面是士对统治者的人身依附关系；另一方面是统治者对士的依赖关系。但许多人并没有意识到后者，他们在统治者面前自信心不足，或投其所好，阿谀奉承，或过分积极出谋划策，表现自己；或浮词虚夸，急功近利，不尚笃实。一旦受宠，便惊喜有加，得意洋洋，忘乎所以；一旦失宠，便惊恐疑惧，寝食难安。老子指出，这些都是不正确的人生态度。

从"道法自然"的角度，老子指出侯王只是出于一时需要而对人予以举废，这里并没有个人久远喜恶可言。要使侯王看重自己，不要进言太紧，而要在关键时刻显示本事，要让对方来求自己，使自己处于主动位置。在君王那里，不要过分追求名利，应当有功成身退的准备，不得恃功骄横放纵，以免遭到不测之祸。

老子指出，作为人应当自重自贵，不要因一时得宠而趾高气扬，也不要因失宠而惊恐不安。君子固本，自身的生命是根本，荣辱贵贱，都是身外之物，过眼烟云，只有自己尊重自己，才会赢得别人的尊重，才会在人生沉浮中不减英雄本色。

对于人们积极追求功名，老子以道的相反相成原理劝诫人们，要无私，放弃自私的小我，成全无私的大我。要像天地生万物那样默默地奉献，不求索取，才能成就伟大的功名，急功近利是要不得的。要像水那样柔顺、稳重、笃实，对于知识、学问，懂就是懂，不懂不要装懂；对于事功，行就是行，不行不要强行。

作为士，就应当坚持仁慈、节俭、不妄为三个法宝。只有仁慈，才会有公心、正义感，才会有真正的舍身忘我的勇猛。才会成为人们所敬仰、称道的人，在这条舍弃功名的路上才会以自我完善为前提成就功名。在三个法宝中，仁慈为首。

自我完善，还要注意认识自我，正视自我，改造自我。不仅要学会认识别人，评头品足，更要学会认识自己，一日三省，不仅要从成功者那里学习经验，而且要从失败者那里汲取教训，只有这样谨小慎微地认识自我，改造自我，才能完善自我。

但是，完善自我的根本途径之一还是修道。因为道是人身心所存的根本，它包容了一切哲理、智慧、能力，它会给人源源不断的生命与智慧的泉流。义是人立身处世的基点，但"义"从"仁"中生，"仁"从"德"中长，"德"从"道"中出。所以求道才会得到最重要的生命之源。

对于君王，老子尽管很失望，却又不得不寄予希望。他从君王（"侯王、圣人"）的自身涵养、政治、经济、军事、外交等方面，为君王提出一条安邦定国之道。

周王朝是在殷商的废墟上建立起来的。商朝末代君王纣王以其暴政及"酒池肉林"的荒淫无度遗臭万年，而周王室之衰微，又与纣王遗风再兴不无关系。因此，老子认为，君王的人格修养是最重要的事情。

他指出，君王的人格应当是从善如流，像水一样深沉而不轻浮，谦卑而不自高自大，平正而不偏私，言而有信，政治清明，有德识才能，有远大志向，能见机行事；对于一切过分的追求、放逸，都得约束、检点；不要自视"圣明"而高高在上，恣意妄为，弄得民不聊生、家破国败；重大的政治举措应当以民心为君心，顺应百姓；对待百姓与自己的关系，应当以百姓为主、自己为从，这样处于"无为"的境界，使社会政治、经济自然进入应当而且能够进入的轨道，得到最好的发展，从而达到"无为而无不为"的理想效果。

老子极有见地地指出，政权的根柢扎在百姓中，百姓富裕，拥护统治，政权才能柢固根深，经得起风吹雨打。因此，残酷地压榨、勒索百姓，无异于自掘坟墓。如果民不聊生，以致非冒死求生不可，就会官逼民反，轻则造成严重内乱，动摇政权根基，重则天翻地覆。从君王本身的利益考虑：国内没有重大动乱，法律横亘、官吏依法治人，即使是法制苛严、杀人众多，恶名还不在国君，而一旦动乱起来，国君与百姓就成为直接的敌对关系，国君必然身败名裂、威风扫地。

对内的政治，以稳定、平正为上，不能朝令暮改，不能有法不依、执法不严。事物的变化都是由微到显、由点到面，因此，在执法上，在对待不安定因素的策略上，平时当居安思危，防患于未然，刚露出苗头的不法行径就要及时论处，不能等到祸乱纷纷才大动干戈。

对于经济建设，首先要开源，充分利用生产力，给百姓以宽松和谐、安全稳健的环境。在诸如祭天、敬祖、奖赏、营造等用度上，应力倡节俭，使国家财富有增，百姓家境丰裕，经得起天灾人祸的打击。

老子提出，君王的名声很重要，应当隐恶扬善。恶事，应由他人办理；恶名，应由替罪羊承担，君王始终以仁爱形象出现在百姓面前。对于重大的政治目的，则应声东击西，欲擒故纵，潜游暗行，不能明火执仗，让人一目了然。这些，基本上就是后世所称的"权术"。

对于战争，老子首先是反对，但不是反对所有战争。他反对怀着称霸的野心而发动战争（尽管他也流露出希望有个合道的君王脱颖而出，重振天下）。尖锐地指出，强暴者不得好死！以武力夺取周王室是行不通的，以一种暴政取代、接替另一种暴政是没有好结果的。为了个人的荣耀与享乐而发动战争是达不到目的的。因为只有承担天下的重担，顺从天下民心的，才是可以长期存在的君王。否则，不是在夺权的战争中灭亡，就是在掌权后覆灭，总之不得昌盛。

春秋时期，一百多个诸侯国之间发生战事达483起，平均每个国家每年约发生2起战争。战争的目的，小而争夺地盘、奴役他国，大而争当霸主、号令天下。史称"春秋无义战"。这些不义战争给老百姓带来了多么深重的苦难，简直难以想象！老子仅用简约的笔墨描绘出这样一幅图景：太平岁月里，战马用于耕田；战争年月里，临盆的母马也要从军，产小驹于野外；一场战事下来，人烟杳无，田畴荒露、荆棘丛生，"大军过后，必有荒年"。战争如狂暴铁蹄，践踏蹂躏着如嫩草似的百姓，而战争的动力就是"问鼎天下"的个人野心。因此，这种不义的战争理所当然地受到人民深刻的厌恶、强烈的诅咒！

但是，对于向往和平的人们，又只能以战争抗御战争。所以，中国人的意识里，武力就是"止戈"，就是用力量反对战争。战争的不可回避性，使老子也不得不从道的原理研究、指导战争，从而有了《道德经》的军事思想。

老子认为，用战应极谨慎，讲究正义、时机，把握好尺度，临战时要大智大勇。作为战场指挥官，应当谨慎为先，"无为"为务。不要心浮气躁、急于取胜，贸然进兵；而在双方交战中，心里不要生搬硬套任何兵书陈法，不要被敌人气势所惧，也不要仗恃自己有什么强兵猛将而稍有骄纵之情、松懈之态，应当使自己处于"空明"的心境，见机行事，根据实情用创造性的灵感来指挥，方可以从容制敌。在战术的应用上，应以出其不意为原则，从心理上震撼对方。在势均力敌之时，谁顽强、谁勇敢，谁就取胜，故自己一方军队的思想政治工作很重要。

除了战争，老子还谈到了诸如外交、君王如何知人善任等等，这些在书中不显重要，译得也很明确，在此不予赘述。

在那动荡不息的岁月里，许多觉悟者都在建构自己的理想世界。深受传统影响的士大夫们自然希望旧梦重温，孔子就毕生追求"克己复礼""天下归仁"。老子则认为"礼"根于"仁"、"仁"根于"德"、"德"根于"道"，因此，一个理想的社会应当以"道"为宗旨。

在这样的国度里，君臣百姓人人修道，思想行为无不合道，君王以振兴天下为己任，负重远行，他头脑清醒，有主见，又知人善任，对百姓采取"无为而治"的政治，根据民众的意愿，自己好好斟酌，选择可行的，号召民众共同努力去做。士大夫奉公守法，严于律己，不为追求荣华富贵而向君王进谗言，法令政策一旦颁布，就严格执行，稍有不轨行为就会很快受到制裁。国家的一切政策举措都围绕人民丰衣足食、国家兴旺、家庭富足这个中心。

在这样的国度里，老百姓一面劳动，一面修身养性，他们因此身心健康、乐天知命，自觉用道的法则来约束自己，妄念不生，邪恶不存，人们敦厚淳朴，像婴儿般纯真，像牛一样勤奋、羊一般温顺。

老子认为，个人的掠夺与国家的战争的祸端起于贪欲。因此，从内心杜绝贪欲，安分守己，不为财物、稀奇玩意儿、官爵动心（真正为官就要有以权奉公、尽责的意愿），从客观上看，最好是把国家变得小小的，而且每个国家的人口都很稀少，人们连"鸡犬之声相闻"的邻国，也是"老死不相往来"。这样，人们便相安无事，没有掠夺、盗窃，没有苛政的剥削压榨，也没有动乱与战争。

当然，这样的国度自古就不曾有过，以后也未必见得有。但这个设想反映了那个痛苦、残酷的时代里，极为善良的人所能产生的最崇高的理想。反映出他对社会的深切关心和对世人的爱，他尽到了一个智者、一个圣人当时所能尽到的最后责任，从而完成了他"修之于天下"的宏伟誓愿。

《道德经》本身作为第一个修道的真实记载，它是修身养性文化的珍贵文献，作为哲学思想、立身处世、安邦治国的方法论，因为它来自自然深沉真理的觉悟与引申，其中绝大多数思想成为永恒真理，不因时势变动而兴衰，不因朝代变迁而举废。几千年来一直吸引无数君臣庶民，如饥似渴地从中汲取精神营养，在老子思想的引导下走上人生大道，成就辉煌的一生。因此，老子的伟大思想、高尚品格和超人的智慧，理所当然地与孔子并行，成为中华民族宝贵的两大精神源泉之一。它经久不衰的魅力，使它理所当然地在当今蜂拥而起的思想潮流中，显出中流砥柱般的力量，走出中国，走向世界，为人类文明的健康发展不断注入新的活力。

老子，一位超人，一位圣贤，一位赤子。他给世间留下这部如碧玉般美好、如至宝般神圣的《道德经》，几千年后依然是那样华光璀璨、朗照世间。不论岁月怎样流逝，不论花开花落、春来秋往，他和他的思想永远是那样生气勃勃、熠熠生辉！

第一章

缘情成体　步韵生文

——《〈道德经〉诗译》的艺术探索

《〈道德经〉诗译》完稿，了却了十多年的心愿。

　　十多年来，面对《道德经》如仰高山，如履薄冰，不敢妄著一字。完全"为无为，事无事"（老子）直至完全忘掉。及至箭在弦上不得不发之际，又暗自发愿，一定以最好的诗歌艺术准确生动地传神达韵，不枉老子、不负先贤、不误后世。简言之，诗译的方法是"缘情成体，步韵生文"。然写作时灵感纷至，疾若闪电、骤若急雨；运笔如飞，六日完稿。定稿后面对书稿，暗自惊奇！十年重负，一时解脱，自然宽松轻快。然在艺术上是否如愿以偿，岂敢自见。这里只能对译著的原则、艺术着眼点、处理方法略为一述，旨在求方家以金玉之言教正。

一、缘情成体

——主题·情调·体裁

诗译《道德经》目的之一是"传神"。什么是"神"？"神"就是文中的主题以及潜运于主题中的情调。准确地把握和表现主题，是诗译成功的关键。我对主题的审度与表现颇为放心，因为对全书"修功—悟道—弘道"这一逻辑关系的整理，使我得以从宏观上把握主题。例如："修功"与"悟道"记叙了老子怎样修道、身心合道进而悟道的全过程，而"弘道"是哲理的阐释，是用道的规律、合道的原则为准绳来衡量世事，为人生、社会导航，是"道学"的应用。在这个大格局下，每一章的主题也就容易认识与把握了。一切迷茫的变为清晰，繁乱的显出单纯。

我只需关注两件事，就可以辨明主题：1.写给谁的？2.立足点是什么？例如《弘道篇·致士民》第一章原文：

天地不仁，以万物为刍狗。

圣人不仁，以百姓为刍狗。

天地之间，其犹橐籥乎？

虚而不屈，动而愈出。

多言数穷，不如守中。

这里一会儿写天地、圣人，一会儿写天地规律，如拉风箱一般，后面又教人不要多说话，似乎很乱，主旨不明。其实，只要明白这两点就会恍然大悟：写给谁的——士民百姓；立足点是什么——取法无为，以静制动，不要在"圣人"面前急于邀功请赏、显山露水，要清醒地认识到，士与"圣人"的关系是价值的存在与价值的取用。自己的智谋要相机而行，待价而沽，不可急功近利，以防山穷水尽，求荣得辱。并且用拉风箱作喻，劝告士民不要为了表现才智而胡乱出谋划策，干预社会、自然事体，要有正确的人生观、价值观，用沉静来变被动为主动，在"圣人"最需要自己并且发出询问时，才开金口玉牙，而结尾的"多言数穷，不如守中"就是主题。因此，我用诗译为：

> 天地没有仁慈悲悯，
> 体载万物原非爱憎。
> 侯王没有仁慈悲悯，
> 覆手为雨翻手为云。
>
> 万物有恒勿多用心，
> 譬如池水愈搅愈浑。
> 进言太紧价值就轻，
> 不如缄口等他来问。

我想，这样识别与表达主题，无负于老子、先贤，为当今与后世人们理解、运用《道德经》的思想，大开了方便之门，可谓"不误后世"。

我认为，诗译的要紧之处，第二是情调。

《尚书》云"诗言志"——言之不谬！"志"并非后儒及如今人们所认定的仅仅是"志向""思想"，而在当时是思想与感情的总和。《黄帝内经·素问》载：人体五脏"心、肝、脾、肺、肾"，内藏五情"喜、怒、思、忧、恐"，蕴五志"神、魂、思、魄、志"，故"志"不独用，往往"神志""情志"并提。虽以"志"代之而偏之于"情"，无情则无诗。故"诗言志"乃"诗抒情言志"之略语。

进而言之，有情无调也无诗。

什么是调？"调"即音乐的"格调"。高迈还是低回，抑郁还是奔放，激情还是凝滞。中国古人以"宫、商、角、徵、羽"五调概之，以衡量、确定音乐的情绪主题。不可想象一首诗里五情并至，正如不可想象一个正常人须臾间亦喜亦怒亦思亦悲也恐也忧，"言有宗，事有君"（老子），每一个短小的诗章必有一个格调。"文章开头难"，难就难在定格调上。而一旦定了调，就犹如水有渠道，势在必行，兵有将帅，纵横有方。故诗以情生，情以调成，有情有调，方成诗文。

《道德经》较之于当时畅行朝野的"风""雅""颂"，是没有音乐的"徒诗"。但不论诗歌还是散文，凡成功之作，都是有格有调的。格分高低，调论长短。在诗译《道德经》的过程中，我比较注重格调的把握。

从整体看，《道德经》是一部关于宇宙、人生、社会的文化学。它的音乐主题是隆重、庄严、深沉。以格而论，居其高；以气论，居其中宫；以调而论，各部有别，各章有异。然"序诗"《闻道篇》一开始就进入严肃而重大的主题，我感到的无疑是一种高迈的人格、一种忧思绵绵的情绪，所以，一开始就把原作句式延长，以隆重热烈的画面，展开序诗的主题：

> 天地造就了值得珍爱的生命，
> 生命却往往像随风而逝的轻云：
> 多少人死于横祸与疾病，
> 多少人死于愚昧的妄行，
> 过分爱惜生命反而身陷绝境，
> 这是多么可悲的事情！
> 生命的保养确实可贵，
> 可贵的事情自有可贵的途径。
> …………

　　我注意到，"格调"作为"格"和"调"两个因子的合成，是相互联系、影响，又有区别的。在《道德经》里，"格"受作者所处位置、角度的影响。老子在书中的所处位置变化很大，在天地间，他是修道、悟道的圣人，他是那样的豪迈雄健、鹤立鸡群。

> 众人显得才华横溢语出惊人，
> 我却不吭不哈像深山里顽石钝根；
> ——但我的心灵有辽阔无边的大海，
> 高天长风吹送我的帆船奋进！
> 　　　　　　——《修道篇》第3章

> 道是天地万物的根本，
> 犹如孕育子女的母亲。

由道认识了万物的来龙去脉，

倍觉与道相合是宝贵的操行。

　　　　　——《悟道篇》第10章

　　对于民众，他是导师、哲人、朋友，既有冷静的分析，又有直率的批判，还有热情的鼓励。诗译就译出干脆利索劲：

庄稼宜在厚土长成，

壮士应以厚道立身。

浮华的东西自欺欺人，

凭什么出卖人格道心？！

　　　　　——《致士民》第6章

　　对于君王，他既卓然独立于政治之外，具有"浩然大气"，而一旦参与政治，又不能摆脱作为士的以下对上的格局，所以情调平和，措词较为隐讳，有些地方甚至像哑谜似的。诗译中注意到这些变化，并如实表述：

…………

太平的日子刑律横亘，

自有官吏依法治人。

杀多杀少都没有关系，

君王的身上不染荤腥。

纷乱的年代有法难循，

国王得亲自遣将调兵。

就像君王代替了木匠，
挥斧砍斫时难免自损。
　　　　——《致君王》第12章

将欲歙之，必固张之；
将欲弱之，必固强之。

君王的心机要潜游暗行，
国之利器不可以示人。
…………
　　　　——《致君王》第23章

对于理想的社会，他是那样热忱洋溢，甚至显得天真烂漫，依情而发，就有了欢乐畅快的抒情格调：

小国的政令容易风行，
稀少的人烟古风朴淳。
不为着求生离乡背井，
新奇的玩意儿也不受欢迎。

异国的风情无力逗引，
闲放着车船没人去乘。
清平的世界荡荡乾坤，
没有战争荒置了甲兵。

吃得香甜睡得也安稳，

漂亮的打扮悦目赏心。

古老的风俗人人遵循，

优哉游哉过完了一生。

⋯⋯⋯⋯⋯

——《致君王》第20章

当然，整部《道德经》的内容有悲、有喜，有庄、有谐，有神圣也有平凡，其格调变化很是微妙。处理当否，有待读者细察。

主题与情调的不同，需适当的体裁与之相应。

《道德经》是那个时代的徒诗，也是那个时代的自由诗，所以，诗译也就选择了现代自由诗的体裁。现代自由诗的特点是"法无定法"，无章可循，但有规矩可守，这就是根据主题、感情色彩的变化而灵活成体。

从宏观看，《道德经》有叙事诗、哲理诗、顿悟性的断诗等，对每一类诗，我都有基本不变的翻译原则，而对每一首诗，又顺势而为，不拘一格。大致原则有三：

（一）叙事诗求清晰

《道德经》的叙事诗主要在修功、悟道两部分。这两部分内容散存于其他部分之中，依逻辑顺序排列后，其前后相续的关系很清晰了，但各章之间需要一些语句标示它们之间的联系，使整体脉络更为清晰可感。例如《闻道篇》两章以"听说真正的养生之道"诗句在前后反复，点出共同主题。

叙事诗求清晰，体裁上就采用了基本上不分节的长篇朗诵诗的形式，旨在追求内在精神的流畅感。对于一些突如其来的事件，则按实情补出必然的因素，以使事件完整而真实。如《悟道篇》第2章原文是：

> 不出户，知天下；
> 不窥牖，见天道。
> 其出弥远，其知弥少。
> 是以圣人，
> 不行而知，不见而名，不为而成。

这里"不出户，知天下"就显得太突然，容易引起误解，而实际上既非妄语，也不如此简单。于是我补充了前两行诗句，译成：

> 无为的心领我走进深的寂定，
> 寂定中我的眼前一片光明。
> 人世间的事情朗朗清清，
> 天空中日月星辰昭昭明明。
> 何必远途跋涉四处打听，
> 我的心已成为映现万物的一轮明镜！
> 深湛的道行会给修道者以圣明，
> 不行而知不见而名不为而成！

（二）哲理诗求真切

《道德经》的"弘道"部分主要是哲理诗。译著时主要追求内在义理的明晰，体裁上虽不拘一格，却因工整的语句、和谐的节奏形成闻一多式的"新格律体"。多数为四句一节，有的主歌与副歌交错，有的两句一节，带点"信天游"的味道，有的三句一节，似格律诗体。例如《致士民》第8章：

虚荣与生命谁疏谁亲？
生命与财产谁重谁轻？
二者选一你要钱要命？

豪富令生命遭到破损，
贪欲使身心备受折腾。
你成了奴隶还是主人？

知足是一份宝贵的道心，
危险与屈辱不与它相邻。
你到底是欢乐还是愁闷？

有的诗译一咏三叹，形成工巧的格律味。如《致士民》第9章：

受宠受辱，有人皆惊，
缘何把自己看得太轻？
低低贱贱，一些薄恩，
又有何必，感激涕零？

受宠受辱，有人皆惊，
缘何把自己看得太轻？
反反复复，一点爱憎，

又有何必，惊恐万分？

…………

当然，这样译来，目的是强调主题，加强说服力，使说理的力度得以加强。

（三）顿悟性的断诗求直截

《道德经》里有些是顿悟性的断诗。写法也是泰戈尔式的，诗译时也就照直译出，不予增删。这些译法有先例，可更好地存其精神。这里不予举例。

总之，这些体裁不算什么创造，但这些多元化的体裁对相应的主题来说是很必要的。

至于诗译如何做到"传神"，也许不止我所做的这么简单，但我的确只作了上述努力。下面想接着谈一下关于"情韵"的处理，即如何"步韵生文"。

二、步韵生文

——音韵·节奏·风格

诗译《道德经》的目的之二是"达韵"。

什么是诗的"韵"？"韵"指"风韵"，是诗歌的外显形态之一。我认为，诗歌的创作过程中，作者当时感悟到的音乐旋律、所处的心境、具有的情态等等，都融入作品之中，形成诗歌可感的"风韵"。主要表现在音韵、节奏、风格三个方面。

诗译《道德经》在文句对译中，以深切理解原作情绪为基础，力图忠实地再现作者的心境、情态。这就是"步韵生文"的原则。

首先遇到的问题是：诗译是否统一用韵？

考其原著，并无统一韵律，甚至多数诗不押韵。但我以为这是原著排列散乱所致。如果依逻辑顺序写出，就会发现，这样一部形成庄严宏伟的音乐感的诗无统一的韵律，大有伤害其严整性之感，不能不说是一大遗憾！

那么，什么是韵呢？

我考虑这个问题的时候，不仅从所悟出的"永恒的道，没法说尽，能够说尽的就不是永恒"这一句感到了应有的韵律，而且从一种强大的音乐感中进一步肯定了韵律，还从全书的整体感中确认了韵律。

我心中时常浮现出这样一幕幕图景：怀着"修之于天下"之志的老子，在他历尽艰辛，认识到宇宙万物生盛衰亡的真理以后，以"济世度人"的赤子之心弘扬道学，为人类铺设出一条修身养性、为人处世、安邦治国的金光大道，最后以世人"莫我知""莫能行"的时代悲剧宣告结束。然而，就在他寻找和铺设这条道路的时候，他完成了一个超凡入圣的性灵的陶冶，留下了他对人的命运和人类社会的无限深情，留下了他作为一代哲人庄严高迈的情韵，留下了作为一个长者的慈祥和一个朋友的热忱。他是一个凡人，更是一个心灵翱翔在天地间的伟人。他留给世间的著作《道德经》，构成一个"序诗—发生—发展—高潮—结束"的完整故事，一部以庄严、神圣为主题的，具有悲剧美的乐曲。

　　为了表达出这一主题，运载连贯的气势，当然应当一韵到底。而所选择的韵部和感悟到的一样，为了表现出心灵中清远的智慧感，采用银铃般的"壬辰"韵，很有妙处。从修道的实践来看，"壬辰"韵与心脏的音频谐振，正好表达深沉与庄严感，正好运载出隆重而清远的音乐主旋律。这一点我相信会赢得大家首肯。

　　诗的内在活力还在于作者写作时的情态，或清幽、淡远，或浓重、深沉，不一而足。留在诗行里，就形成诗的节奏。节奏，是音乐旋律的另一种物化形态。

　　《道德经》81章里有叙事、哲理等，内容不同，语言节奏不同。叙事的，往往不紧不慢，娓娓道来：

　　　　道，可道，非常道；
　　　　名，可名，非常名。
　　　　…………
　　　　常无，欲以观其妙；

常有，欲以观其徼。

——（原第1章）

强烈抨击的，语言节奏紧迫，铿锵有力：

知不知上，

不知知病，

夫惟病病，

是以不病。

——（原第71章）

说理的，有开有合，有张有弛，排山倒海，气势夺人：

民之饥，以其上食税之多，是以饥。

民之难治，以其上之有为，是以难治。

民之轻死，以其上求生之厚，是以轻死。

——（原第75章）

当作者欢悦时，又使人分明听到轻快的叮当声，恍若欢乐的脚
铃舞：

虽有舟舆，无所乘之。

虽有甲兵，无所陈之。

使人复结绳而用之。

…………

——（原第80章）

对每首诗（每一章）的翻译，皆志守中庸，心存无为。置我与流水行云，依势而行，顺风而动，不固拘陈法。遇其雄阔，则以多节拍长句译出"大弦嘈嘈如急雨"的气势，如《修道篇》第3章，是作者大气磅礴的一篇宣言，故用长句译出：

　　　　那欢喜踊跃的是众人的心，
　　　　如赴盛宴如春天里登高览胜。
　　　　…………

　　对于清冷、淡远的，便不加造作，照直译出；对理义井然、激情飞迸的，则用长短句交错，展示出雄健有力的情态。这些读者在阅读时自有所知，这里不予赘述。

　　下面谈一下对原作风格的理解和处理。
　　风格，顾名思义，当指风尚、格局，它是文学艺术作品的主要外显特征。从本质看，它是作者在创作中艺术审美意识的自然流露。表现在作品中，就显示为语言修辞特色。
　　《道德经》的主要艺术特色是什么呢？
　　——比喻。
　　纵观全书，最突出的艺术技巧是比喻。有明喻、暗喻、借喻、博喻，齐全而分布广。这些比喻大多形象生动，使说理透辟、深入浅出，有些比喻千古流传。例如论述治国方略，要求治乱必恒、防微杜渐的诗句"千里之行，始于足下"等，成为千古名言。但是，由于时代变迁，有些当时颇为形象生动的喻体在今天已显生僻古奥，有些地方感到比喻不足或有余，这些都有待处理。

我的处理方法是，对生僻古奥的比喻予以替换。例如《致士民》第1章中的"拉风箱"这个比喻当时贴切生动，风箱两头有风眼，一拉动，一推出，气流都灌入风筒，始终不断。这用来比喻"你越起劲干预社会，社会越不平静"，很生动形象，但如今大多数人已不知风箱为何物。所以换了一个比喻："譬如池水愈搅愈浑。"

对于表达主题并无增色作用的比喻，就俭省不译。例如"谷神不死，是谓玄牝"句，"牝"指一切母性动物的生殖器官。作者以此为喻，用以阐明"宁静生万物"之理。如果照实译来，则颇为不雅。而换喻也未必有益，故去掉比喻，直指实义，译为：

> 从地上的五谷到天上的神明，
> 生命的伟力源于幽深的宁静。

同样，对《致君王》第26章"大国者下流，天下之交，天下之牝……"等长长的句子，嫌其喻体不当，陷于繁难，就以两个喻体替换，显得轻松明快：

> 大国给小国一片浓荫，
> 小国使大国羽翼丰满，
> 和睦的结果两全其美，
> 大国的君主当谦和热忱。

对于有些比喻不足的，就予以增补，使作品焕然生色。如《致君王》第11章"无狎其所居，无厌其所生"句，说得太含蓄，但唐太宗李世民所悟出的"水可载舟，亦可覆舟"的名言，在这里已呼之欲出，不用此喻不足以尽兴。故增设"水上的船舟要讲重轻"一喻体译出：

> 君王你不要一意孤行，
> 自己的享乐要有止境。
> 百姓的生死就算不论，
> 水上的船舟要讲重轻。

对于诗歌的风格，主要顾及的是这一方面。疏漏之处，在所难免。

书之既成，虽限于粗拙，也无可奈何。惟广大读者提出宝贵意见是盼。

第二章

《道德经》诗译

一、修身养性之道

闻道篇

听说真正的养生之道，

超越了死的恐惧生的欢欣。

听说真正善于养生的人，

心灵像大地宽厚深沉。

旅途平安没有老虎拦路横祸降临，

打仗时不拿武器赤膊上阵，

锋利的刀矛划不破皮肤，

老虎的爪子也不会留下伤痕。

这一部分，是老子关于前人养生效果的记载，可以看出，正是这些奇效吸引了老子，使他走上了修身养性之路。

⊙闻道篇（二章）

一

（原第五十章）

chū shēng rù sǐ shēng zhī tú shí yǒu sān sǐ
出 生 入 死[1]，生 之 徒，十 有 三[2]；死
zhī tú shí yǒu sān rén zhī shēng dòng zhī sǐ dì yì
之 徒，十 有 三，人 之 生[3]，动[4]之 死 地，亦
shí yǒu sān fú hé gù yǐ qí shēng shēng zhī hòu
十 有 三。夫 何 故？以 其 生 生[5]之 厚。

gài wén shàn shè shēng zhě lù xíng bú yù sì hǔ
盖 闻 善 摄 生[6]者，陆 行 不 遇 兕[7]虎，
rù jūn bù pī jiǎ bīng sì wú suǒ tóu qí jiǎo hǔ wú suǒ
入 军 不 被 甲 兵[8]，兕 无 所 投 其 角，虎 无 所
cuò qí zhǎo bīng wú suǒ róng qí rèn fú hé gù yǐ qí wú
措 其 爪，兵 无 所 容 其 刃。夫 何 故？以 其 无
sǐ dì
死 地。

【注释】

[1]出生入死：此处意为从生到死。

[2]十有三：十分之三，大致的说法，即占三成。

[3]人之生：之，达到；生，生活的愿望。

[4]动：动辄。

[5]生生：保养生命。

[6]摄生：保护生命。

[7]兕：犀牛。

[8]不被甲兵：被，披挂；甲兵，铠甲、兵器。

【直译】

从生下来直到死去，善终的约占三分之一，夭折的约占三分之一，为了实现生活的愿望，妄动而蹈入死地的，也约占了三分之一。

这是为什么？

因为他们养生的愿望过分了。听说善于养生的人，陆地走路不怕遇到犀牛和猛虎，战场上不用铠甲与兵器，犀牛的角没地方钻，猛虎的爪子也抓他不破。

这是什么原因？

因为他不蹈死地。

【诗译】

> 天地造就了值得珍爱的生命，
> 生命却往往像随风而逝的轻云：
> 多少人死于横祸与疾病，
> 多少人死于愚昧的妄行，
> 过分爱惜生命反而身陷绝境，
> 这是多么可悲的事情！
> 生命的保养确实可贵，
> 可贵的事物自有可贵的途径。
> 听说真正的养生之道，
> 超越了死的恐惧生的欢欣。
> 听说真正善于养生的人，
> 心灵像大地宽厚深沉。

旅途平安没有老虎拦路横祸降临，

打仗时不拿武器赤膊上阵，

锋利的刀矛划不破皮肤，

犀牛的尖角找不到进攻部位，

老虎的爪子也不会留下伤痕。

不追求享乐不追求长寿，

生命的奇迹偏在他们身上发生。

生命的保养确实可贵啊，

可贵的事情自有可贵的途径！

二

（原第五十五章）

hán dé zhī hòu　bǐ yú chì zǐ　fēng chài huǐ shé bú
含 德 之^[1] 厚，比 于 赤 子。蜂 虿 虺 蛇 不

shì　měng shòu bú jù　jué niǎo　bù bó　gǔ ruò jīn róu
螫，猛 兽 不 据^[2]，攫 鸟^[3] 不 搏。骨 弱 筋 柔

ér wò gù　wèi zhī pìn mǔ　zhī hé ér quán zuò　jīng zhī zhì
而 握 固，未 知 牝 牡^[4] 之 合 而 全 作，精 之 至

yě　zhōng rì háo ér bú shà　hé zhī zhì yě　zhī hé yuē
也。终 日 号 而 不 嗄^[5]，和 之 至 也。知 和 曰

cháng　zhī cháng yuē míng　yì shēng yuē xiáng　xīn shǐ qì yuē
常，知 常 曰 明，益 生 曰 祥，心 使 气 曰

qiáng　wù zhuàng zé lǎo　wèi zhī bú dào　bú dào zǎo yǐ
强。物 壮 则 老，谓 之 不 道，不 道 早 已。

【注释】

[1]之：达到。

[2]据：扑。

[3]攫鸟：猛禽。

[4]牝牡：牝，雌性生殖器官；牡，雄性生殖器官。

[5]嗄：啼极无声。

【直译】

含蓄心性至深，好比婴儿一般浑厚。毒虫不刺他，猛兽不扑他，苍鹰不抓他。他的骨头软弱，筋肉柔嫩，但抓东西时把握得很稳

固，他不知男女交合，小生殖器却常常勃起，这是因为他的精气至
为充足。他整天哭号，声音也不嘶哑，这是因为他全身气血和畅。

懂得和畅的道理，就可以认识道的真谛。懂得了道，就明白
四达。

贪求生活享乐，必遭祸殃。欲望驱动精气就是任性逞强。

事物壮大了就会走向衰老，驱使自己走向衰老就是违反自然规
律，必然提前衰亡。

【诗译】

听说真正的养生之道，

超越了死的恐惧生的欢欣。

听说真正懂得养生的人，

心灵像婴儿一般淳厚纯真。

有毒的虫子远离他们身体，

猛兽与攫鸟不会侵凌，

他们的精气保养得十分旺盛，

筋骨柔软又异常坚固强硬，

内心无邪而阳性分明，

他们气血和畅通顺，

终日大声号叫不减声音。

心平气和就有健康的身心，

健康的身心使智慧豁达光明。

贪求生活享乐的行为必遭祸殃，

自我斫伤就因为逞强任性。

这就是我认定的长寿与健康的诀窍，

这就是完善自我的理想途径！

修道篇

闭上嘴，让呼吸柔长而均匀，
合上眼，让心灵回转关注自己身心。
一次次放松，放弃固执的企望，
再放松，平定心中的杂念纷纷。
得到光明就任凭光明照耀，
感到缥缈就任随身心化作缥缈的微尘。

修道，就是通过种种手段，实现身心体悟自然、回归自然的行为，老子在这一部分里讲述了自己修道的心理准备、修道方法，正是这些至为正确的行动使老子从平庸走向伟大，从黑暗找到光明。

⊙修道篇（六章）

一

（原第五十六章）

zhì zhě bù yán　yán zhě bù zhì　sè qí duì[1]　bì qí
知 者 不 言，言 者 不 知。塞 其 兑[1]，闭 其

mén[2]　cuò qí ruì[3]　xiè qí fēn　hé qí guāng　tóng qí
门[2]，挫 其 锐[3]，解[4] 其 纷，和 其 光，同 其

chén　shì wèi xuán tóng　gù　bù kě dé ér qīn　bù kě dé
尘，是 谓 玄 同[5]，故，不 可 得 而 亲，不 可 得

ér shū　bù kě dé ér lì　bù kě dé ér hài　bù kě dé
而 疏，不 可 得 而 利，不 可 得 而 害，不 可 得

ér guì　bù kě dé ér jiàn　gù wéi tiān xià guì
而 贵，不 可 得 而 贱。故 为 天 下 贵。

【注释】

[1]兑：嘴巴。

[2]门：眼睛。

[3]挫其锐：削弱固执而强烈的念头。

[4]解：通"懈"，松弛，使之放下。

[5]玄同：玄，幽深；玄同即深湛的同一性。

【按】

这一章论放弃自我修心合道的具体方法。

【直译】

懂得修道的不妄谈，妄谈的不懂得道。

闭上口，合上眼，用决心克制妄念，用松懈平息纷扰，感到光明广大或渺小黑暗等等，都听任自然，这就是与道同化的方法。

不论有什么感受，不能亲近，也不能疏远；不能以之为利，也不能以之为害；不能以之为贵，也不能以之为贱。如此可得到天下最宝贵的道行。

【诗译】

修道不需要夸夸其谈，

修道靠的是身体力行。

闭上嘴，让呼吸柔长而均匀，

合上眼，让心灵回转关注自己身心。

一次次放松，放弃固执的企望，

再放松，平定心中的杂念纷纷。

得到光明就任凭光明照耀，

感到缥缈就任随身心化作缥缈的微尘。

放弃自我纯净心灵，

让玄妙的自然信息融进我们身心。

若即若离是修道的诀窍，

平平静静是修道的本分。

不能过分地追求心中的内景，

也不能拒绝景象纷呈，

不能因身心合道而得意忘形，

也不能因身心变化而恐怖骇惊，

不能对幻景加倍注重小心追寻，

也不要以为来得容易不足用心，

让身心保持这种状态，

你所追求的新我就会产生。

二
（原第五十四章）

shàn jiàn zhě bù bá　shàn bào zhě bù tuō　zǐ sūn yǐ
善 建 者 不 拔，善 抱 者 不 脱，子 孙 以

jì sì bú chuò
祭 祀 不 辍[1]。

xiū zhī yú shēn　qí dé nǎi zhēn　xiū zhī yú jiā　qí
修 之 于 身，其 德 乃 真；修 之 于 家，其

dé[2] nǎi yú　xiū zhī yú xiāng　qí dé nǎi cháng　xiū zhī yú
德 乃 馀；修 之 于 乡，其 德 乃 长；修 之 于

guó　qí dé nǎi fēng　xiū zhī yú tiān xià　qí dé nǎi pǔ
国，其 德 乃 丰；修 之 于 天 下，其 德 乃 普。

gù　yǐ shēn guān shēn　yǐ jiā guān jiā　yǐ xiāng
故，以 身 观 身，以 家 观 家[3]，以 乡

guān xiāng　yǐ guó guān guó　yǐ tiān xià guān tiān xià　wú hé
观 乡，以 国 观 国，以 天 下 观 天 下，吾 何

yǐ zhī tiān xià rán zāi　yǐ cǐ
以 知 天 下 然 哉？以 此。

【注释】

[1]辍：断绝，停止。

[2]德：这里同"功德"。

[3]以家观家：用使家庭合道的愿望来对家庭作观想。以下几句含义同。

【按】

这一章讲修道前的心理准备，由此可知老子志在天下而倡无为。

【直译】

道行建立得好的，不会动摇信心，抱定的，不会半途松脱。由此可得到子子孙孙的敬仰。

为了自己修炼，他的功德可以纯真；为了全家而炼，功德于己有余；为了全乡而炼，功德大长；为了国家而炼，功德丰盛；为了普天下而炼，功德遍及天下。因此，用使自己合道的愿望来想象自己，用使家人合道的愿望来想象家人，用使全乡、全国乃至普天下合道的愿望来想象全乡、全国、普天下，就是修功之前的必要心理活动。

我是怎么知道这样的呢？——是从修道中得到的启示。

【诗译】

心灵的建筑须求永恒，

坚实的东西才可抱定。

惟真理之灯不随人灭，

悠悠万世永放光明。

是的，

修道的无为并非毫无用心，

不播种的土地何须耕耘？

不可缺少目标、志向、博大的胸襟，

目标志向，决定了德性薄厚，道行浅深。

为自己而修，就会保全天真；

为全家而修，就会超越自身；

为一乡而修，就会大长功德；

为国家而修，就会功德丰盛；

为普天下而修，功德就广大永恒。

——让自己的身心圆满清净，

——让家庭得到幸福安宁，

——让家乡的亲人丰衣足食，

——让国泰民安风调雨顺，

——让天下众生快乐欢欣，

——这就是我修道之前的心灵旅程！

三

（原第二十章）

jué xué wú yōu　wéi zhī yǔ hē　xiāng qù jǐ hé
绝 学 无 忧，唯 之 与 阿[1]，相 去 几 何？

shàn zhī yǔ è　xiāng qù ruò hé　rén zhī suǒ wèi　bù kě
善 之 与 恶，相 去 若 何？人 之 所 畏，不 可

bú wèi　huāng xī　qí wèi yāng　zāi　zhòng rén xī　xī
不 畏。荒 兮，其 未 央[2] 哉！众 人 熙 熙，

rú xiǎng tài láo　rú chūn dēng tái　wǒ dú bó xī　qí wèi
如 享 太 牢[3]，如 春 登 台。我 独 泊 兮，其 未

zhào　rú yīng ér zhī wèi hái　léi léi　xī　ruò wú suǒ
兆[4]，如 婴 儿 之 未 孩[5]，儽 儽[6] 兮，若 无 所

guī　zhòng rén jiē yǒu yú　ér wǒ dú ruò yí　wǒ yú rén
归！众 人 皆 有 馀，而 我 独 若 遗，我 愚 人

zhī xīn yě zāi　dùn dùn　xī　sú rén zhāo zhāo　wǒ dú hūn
之 心 也 哉，沌 沌[7] 兮！俗 人 昭 昭，我 独 昏

hūn　sú rén chá chá　wǒ dú mèn mèn　dàn xī　qí ruò hǎi
昏；俗 人 察 察[8]，我 独 闷 闷，澹 兮 其 若 海，

liù　xī　ruò wú zhǐ　zhòng rén jiē yǒu yǐ　ér wǒ dú wán
飂[9] 兮 若 无 止。众 人 皆 有 以[10]，而 我 独 顽

sì bǐ　wǒ dú yì yú rén　ér guì sì mǔ
似 鄙。我 独 异 于 人，而 贵 食 母。

【注释】

[1]唯之与阿：唯，应诺；阿，通"呵"，斥责。

[2]央：结束。

[3]太牢：古代帝王祭祀时设有牛、羊、猪的筵席。

[4]未兆：未开始。

[5]孩：婴儿笑声。

[6]儽儽：疲倦状。

[7]沌沌：麻木无知的样子。

[8]察察：苛严貌，这里指人机警状。

[9]飂：急风。

[10]以：因凭，凭借。

【按】

这一章写老子克服名利、放逸等诱惑，一心向道的情景。

【直译】

放弃了书本少忧寡虑，应诺还是斥责别人的区别不管，善与恶也不论。

人们所怕的半途而废的说法，我也不得不怕。

众人多么兴奋，像赴盛宴，像春天里登高望远，我却独自安宁，心无所动，像还不会笑的婴儿，又像在无家可归的日子疲倦远行中厌倦一切。

众人都显得心有盈余，我却好像失去了什么。我显得混混沌沌，愚昧得很；常人看来十分聪明，我却昏昏沉沉；常人看去活泼机警，我却很郁郁不快。是的，我好像到了大海，急风吹着我前进的风帆不可休止。

任凭众人炫耀才智，我像一个顽固而鄙薄的人。

我独异于常人，我所看重的是得到宇宙与人生的底蕴。

【诗译】

不再为做学问大伤脑筋，

忘掉了荣辱善恶与卑尊。

怕只怕半途而废功损德退，

我要不断向高远的目标勇猛精进！

那欢喜踊跃的是众人的心，

如赴盛宴如春天里登高览胜，

我像襁褓中的婴儿毫不动情。

众人你来我往结队成群，

我却孤单寂寞像多余的人，

我显得多么混混沌沌麻木愚蠢。

众人显得多么聪慧机敏，

我却不往不来像郁郁黄昏沉沉闷闷；

众人显得才华横溢语出惊人，

我却不吭不哈像深山里顽石钝根；

——但我的心灵有辽阔无边的大海，

高天长风吹送我的帆船奋进！

——是的，我和世人是那样不同，

我最看重得到真理得到永恒！

四

（原第十二章）

wǔ sè lìng rén mù máng　　wǔ yīn lìng rén ěr lóng　　wǔ
五色令人目盲，五音令人耳聋，五

wèi lìng rén kǒu shuǎng　　chí chěng tián liè　　lìng rén xīn fā
味令人口　爽[1]，驰骋畋猎[2]令人心发

kuáng　　nán dé zhī huò lìng rén xíng fáng　　shì yǐ shèng rén wèi
狂，难得之货令人行妨[3]。是以圣人为

fù bú wèi mù　　gù qù bǐ qǔ cǐ
腹不为目，故去彼取此。

【注释】

[1]爽：差池，损伤。

[2]畋猎：打猎

[3]行妨：败坏行为，这里指偷盗。

【按】

这一章从另一角度谈修道必须心勿外驰。

【直译】

色彩缤纷使人眼花缭乱，动听的音乐使人耳根不清，丰美的味道让人口生余味，骑马打猎让人心生狂躁，稀奇宝贝让人胡思乱想。

因此，圣人追求内在充实，不在乎贪欲的搜求。

【诗译】

不必患得患失心理不平。

修道就得孤独寂寞淡淡清清。

缤纷的色彩会扰乱心灵，

动听的音乐使静难入深。

丰美的食物让人贪恋，

骑马打猎让人狂放难驯。

金银财宝让人又喜又惊，

惊喜之后容易诱发不轨的行径。

圣人追求的是内在的充盈，

不在乎世上华光四射五彩缤纷。

五
（原第五十三章）

shǐ wǒ jiè rán yǒu zhī xíng yú dà dào wéi yí shì
使 我 介 然[1] 有 知， 行 于 大 道， 唯 施[2] 是
wèi dà dào shèn yí ér mín hào jìng cháo shèn chú
畏。 大 道 甚 夷[3]， 而 民 好 径[4]， 朝 甚 除[5]，
tián shèn wú cāng shèn xū fú wén cǎi dài lì jiàn yàn yǐn
田 甚 芜， 仓 甚 虚， 服 文 彩， 带 利 剑， 厌 饮
shí cái huò yǒu yú shì wèi dào kuī fēi dào yě zāi
食， 财 货 有 馀， 是 谓 盗 夸[6]。 非 道 也 哉！

【注释】

[1]介然：坚定明确。

[2]施：邪。

[3]夷：平坦。

[4]好径：爱走捷径、小道。径：小路。

[5]除：整齐清洁。

[6]夸：同"竽"，古乐主导乐器，这里引申为头领。

【按】

本章以对追求浮华的批判，坚定自己修道的决心。

【直译】

假若我清楚地知道自己在大道上前进，我的意志就会十分坚

定。除了怕走上邪路，我什么都无所畏惧。

　　大道很平坦，可是众人却好走曲折不平的小路。宫廷很整洁，农田却很荒芜，仓库空虚得很，却穿着漂亮衣裳，佩带利剑，厌肥甘瘦，占有多余的财货。

　　——这些人是强盗头子，不是正经货色！

【诗译】

　　　　为天下而修坦荡光明，
　　　　真理的天地伟岸神圣。
　　　　为一己之私是邪门小径，
　　　　它的尽头是荒冢孤坟。

　　　　什么光宗耀祖立世扬名，
　　　　什么出人头地威风凛凛，
　　　　美食果腹锦衣加身，
　　　　高车驷马恣意狂奔。

　　　　巧取豪夺刮得地荒民贫，
　　　　玉砌雕楼曾有几时安稳？
　　　　一夜横财别高兴太早，
　　　　当心！人怨天怒祸及子孙。

　　　　断除了私欲何所畏惧，
　　　　认准了大道何其荣幸！
　　　　幽隐无名没什么可怕，
　　　　怕只怕背后诅咒声声！

六

（原第四十八章）

wéi xué rì yì　wéi dào rì sǔn　sǔn zhī yòu sǔn　yǐ
为 学 日 益，为 道 日 损，损 之 又 损，以

zhì yú wú wéi　wú wéi ér wú bù wéi　qǔ tiān xià　cháng yǐ
至 于 无 为。无 为 而 无 不 为。取 天 下， 常 以

wú shì　jí qí yǒu shì　bù zú yǐ qǔ tiān xià
无 事，及 其 有 事，不 足 以 取 天 下。

【按】

本章表明了心已大定，至于非想非非想。

【直译】

从事于学问，心思一天比一天增加。修道，心思一天比一天减少。减而又减，就到达了"无为"的境地。无为状态中，什么都照顾到了。

要夺取天下，就应经常保持无为。妄生事端，就无力取天下。

【诗译】

做学问的日子，

心思与日俱增。

修道的日子，

心思一天天减损。

让欲望消减让心志柔顺,

终于无知无欲无所作为身心清澄。

无为才会真正实现无所不为,

这里面的奥妙谁曾听闻?

有人志在天下却心浮气躁恣意妄行,

只能平添灾难重重祸乱纷纷!

悟道篇

像气浪动荡气流升腾，
我有了修道的最初反应。
像空气来去难辨踪影，
我感到自己忽大忽小忽重忽轻。
············
无为的心领我走进深的寂定，
寂定中我的眼前一片光明。

　　悟道，即从修道中直接认识到丰富多彩的关于宇宙、人生的奥
秘、真谛。老子是怎样悟出来的？悟出了什么？这一部分记载的
正是这些内容。

⊙悟道篇（二十章）

一

（原第四十三章）

tiān xià zhī zhì róu　chí chěng tiān xià zhī zhì jiān　wú
天 下 之 至 柔，驰 骋 天 下 之 至 坚。无

yǒu rù wú jiàn[1]　wú shì yǐ zhī wú wéi zhī yǒu yì　bù yán
有 入 无 间[1]。吾 是 以 知 无 为 之 有 益。不 言

zhī jiào　wú wéi zhī yì　tiān xià xī[2]　jí zhī
之 教，无 为 之 益，天 下 希[2]及 之。

【注释】

[1]间：空隙。

[2]希：少。

【按】

本章是谈气（道）的体验。

【直译】

天下最柔和的东西，在天下最刚强的东西里穿行，这个无形的力量能透过没有间隙的实体。

我由此认识到无为有益，从不言不语中所给予人启迪与教诲。平心静气所得到的益处，天下很少有人得到。

【诗译】

　　像气浪动荡像气流升腾，

　　我有了修道的最初反应。

　　像空气来去难辨踪影，

　　我感到自己忽大忽小忽重忽轻。

　　柔软的气畅游于肌肤经脉与骨骼，

　　这是无为而有益的说明。

　　似空若无的气在坚实的物质中穿行，

　　这是柔能胜刚的一个力证。

二

（原第四十七章）

bù chū hù　zhī tiān xià　bù kuī yǒu　　jiàn tiān dào
不 出 户，知 天 下；不 窥 牖[1]，见 天 道。

qí chū mí　yuǎn　　qí zhī mí shǎo　shì yǐ shèng rén bù xíng
其 出 弥[2] 远，其 知 弥 少。是 以 圣 人 不 行

ér zhī　　bú jiàn ér míng　　bù wéi ér chéng
而 知，不 见 而 名，不 为 而 成。

【注释】

[1]牖：窗户。

[2]弥：更加。

【按】

本章记载了老子自己的非眼视觉。

【直译】

不出大门，我能知道天下所发生的事；不望窗外，我能知道天象变化。（常人）走得越远，知道的就越少。所以，圣人往往不必经历就知道，不必见到就可说出来，不必动手做就能成功。

【诗译】

无为的心领我走进深的寂定，

寂定中我的眼前一片光明。

人世间的事情朗朗清清,

天空中日月星辰昭昭明明。

何必远途跋涉四处打听,

我的心已成为映现万物的一轮明镜。

深湛的道行会给修道者以圣明,

不行而知不见而名不为而成!

三

（原第十四章）

shì zhī bú jiàn míng yuē yí tīng zhī bù wén míng
视 之 不 见， 名 曰 夷[1]；听 之 不 闻， 名

yuē xī bó zhī bù dé míng yuē wēi cǐ sān zhě bù kě
曰 希；搏 之 不 得， 名 曰 微。此 三 者 不 可

zhì jié gù hùn ér wéi yī qí shàng bù jiǎo qí xià bú
致 诘， 故 混 而 为 一， 其 上 不 皦[2]，其 下 不

mèi mǐn mǐn bù kě míng fù guī yú wú wù shì wèi wú
昧， 绳 绳[3] 不 可 名， 复 归 于 无 物。是 谓 无

zhuàng zhī zhuàng wú wù zhī xiàng shì wèi hū huǎng yíng zhī
状 之 状， 无 物 之 象。是 谓 惚 恍。迎 之

bú jiàn qí shǒu suí zhī bú jiàn qí hòu zhí gǔ zhī dào yǐ
不 见 其 首， 随 之 不 见 其 后。执 古 之 道，以

yù jīn zhī yǒu néng zhī gǔ shǐ shì wèi dào jì
御[4]今 之 有， 能 知 古 始，是 谓 道 纪。

【注释】

[1]夷：平坦，这里引申为广大、浩茫。

[2]皦：光亮。

[3]绳绳：渺茫、不清楚。

[4]御：凌驾，这里指认识、衡量、匡正。

【按】

本章记载了对道的观察、体验，表明了作者拟对"道"命名的心路历程。对道的确认是丰富的。

1. 道复归于无物。
2. 形状特点：无状之状。
3. 能够借助"道"认识天地之始。
4. 用道的真理可以建立正确的人生观。

【直译】

看它看不见，所以把它叫作"夷"；听它听不到，所以把它叫作"希"；摸它摸不着，所以把它叫作"微"。这三种特征无法穷究。合起来就是它的整个特征，往上看，它不光亮，往下看，它不暗昧，既浩渺又微妙，说不清。（它来自无物）又回归于无物，没有固定形状、形象，让人感到恍恍惚惚的。往前看不到头，往后看不见尾。我可以用道的原理来认识物质世界，认识、衡量、匡正人生、社会。运用道的规律可以知道宇宙的产生、万物的演变。

【诗译】

像气浪动荡气流升腾，

动荡的气浪混混沌沌。

它不是空气怎能以气相称，

我想给它起一个恰当的名。

它广大无边恍恍惚惚，

像"夷"的含义坦荡宽厚无边无垠。

它无声无息以柔克刚世上罕见，

用"希"的字义可以警醒世人。

它微妙难寻自由来去不可捉摸，

用一个"微"字可描述它的本质特征。

这些心思都是徒劳无功，

它就是它不明不暗渺茫无垠；

它至弱至微至刚至大无所不在；

它来自万物归于万物无处不存；

它可以作为一面心灵的明镜，

认知天地人世的当今；

也可逆转时间和空间的巨轮，

再现往古重现历史追寻万物的根本。

我将凭它来认识真理，

我将凭它来衡量社会与人生。

四

（原第二十五章）

yǒu wù hùn chéng　xiān tiān dì shēng　jì[1] xī liáo[2]
有 物 混 成 ，先 天 地 生。寂^[1] 兮 寥^[2]

xī dú lì bù gǎi zhōu xíng ér bú dài kě yǐ wéi tiān xià
兮，独 立 不 改，周 行 而 不 殆。可 以 为 天 下

mǔ wú bù zhī qí míng zì zhī yuē dào qiǎng wèi zhī míng
母。吾 不 知 其 名，字 之 曰 道，强 为 之 名

yuē dà dà yuē shì shì yuē yuǎn yuǎn yuē fǎn gù dào
曰 大。大 曰 逝，逝 曰 远，远 曰 反。故 道

dà tiān dà dì dà wáng yì dà yù zhōng yǒu sì dà
大，天 大，地 大，王 亦 大。域 中 有 四 大，

ér wáng jū qí yī yān rén fǎ dì dì fǎ tiān tiān fǎ
而 王 居 其 一 焉。人 法 地，地 法 天，天 法

dào dào fǎ zì rán
道，道 法 自 然。

【注释】

[1]寂：无声。

[2]寥：空虚无形。

【按】

本章根据前一章道的特征完成了对“道”的命名。

本章还根据道长养万物，待万物大成后就离去，又回归大自然，再行长养万物之职的特征，抽象出了“伟大”的人格特征。

不仅表明了老子拟把"道大"作为人生观，而且以后的"功成身退""生而不有""为而不恃，长而不宰，是谓玄德"等贯通整个《道德经》的理论，皆出于此。

【直译】

有一个浑然而成的东西，产生于天地形成之前，无声啊又无形，独立存在不曾改变。它周而复始运行不停，可以认为它是产生万物的根本。我不知道它叫什么，给它命名为"道"。又勉强把它称为"大"。因为它使万物大成后就要离开它们，离得很远很远，然后又回归到新生弱小的万物身上。

因此，"道"有"大"的特征，天有"大"的特点，地、王都有"大"的特征，宇宙中有道、天、地、人四大，君王是其中之一。

人以地为法则，地以天为法则，天以道为法则，道以它自己本身的样子为法则。

【诗译】

无为的心领我走进深的寂定，
寂定中我的眼前一片光明。
那混混沌沌的气先天地而生，
甘于寂寥独立存在未改半分。
它周流不停又是产生万物的根本，
万物对它依存就像道路上草木丛生。
就给它命名为道吧，
尽管这是一个十分勉强的名称。
或许就它的博大还可以叫作"大"，

这是描述它长养万物大成而去，
重新养育万物的伟大历程。
因此呀道大、天大、地天、人亦大，
伟大的德性难道不是无私奉献精神。
侯王啊，你千万不要忘记：
你是无私的道所滋生，
无私奉献原是你的本分，
无私奉献才会使你获得永恒，
天地的生命规律支配了人的生命。
宇宙的规律使大地生存，
道的规律遍行整个宇宙，
道的规律有自然而然的法则因循。

五

（原第十六章）

zhì xū jí　　shǒu jìng dǔ　　wàn wù bìng zuò　　wú yǐ
致 虚 极，守 静 笃。万 物 并 作，吾 以

guān fù　fú wù yún yún　　gè fù guī qí gēn　　guī gēn yuē
观 复。夫 物 芸 芸，各 复 归 其 根，归 根 曰

jìng　　shì wèi fù mìng　　fù mìng yuē cháng　　zhī cháng yuē
静，是 谓 复 命；复 命 曰 常，知 常 曰

míng　　bù zhī cháng　wàng zuò xiōng　zhī cháng róng　róng
明。不 知 常，妄 作 凶。知 常 容，容

nǎi gōng　gōng nǎi wáng　wáng nǎi tiān　tiān nǎi dào　dào nǎi
乃 公，公 乃 王，王 乃 天，天 乃 道，道 乃

jiǔ　　mò shēn bú dài
久，没 身 不 殆。

【按】

本章清晰地描述了老子静定中的非眼视觉——万象纷呈和他自己如何运用非眼视觉去观察生命体的发生、成长、归宿，还记载了自己所悟。

【直译】

我的心灵到达了清虚的尽头，我仍闭目静定笃实坚守，突然眼前景象纷呈，庄严肃穆中得到真理永恒，顺过去倒过来观察它们的生命历程，万物生长时变化纷纭，它们最后都要归于道这个

根本，到了那里就是一片沉静，这就是从生到灭的生命历程。有生必有死是不变的规律，明白这个规律才会明智，不知道这个规律，为了长生久视而妄行——必招凶险。知道这个规律就会胸襟开阔，胸襟开阔才会大公无私，大公无私才能称王，这样称王才能使天下归从，使天下归从之王才合道，合道才能维系长久，终身无险。

【诗译】

> 让我的心灵清清朗朗空空明明，
>
> 空空明明我仍保持沉静。
>
> 空明中万物朗现万象纷呈，
>
> 我循环往复地观察它们的生命历程。
>
> 尽管众物生长变化纷纭，
>
> 最后都得返回自己的根本。
>
> 归根就是由生命的躁动归于深的平静，
>
> 深的平静又会使众物产生新的生命。
>
> 生命的规律就在动静的根端因循，
>
> 懂得这个规律就让人明智，
>
> 违背规律就进退失据灾祸降临。
>
> 懂得真理才会有豁达与宽容，
>
> 豁达宽容才会使人心地公平。
>
> 公平才配作为人主国君，
>
> 这样的人主才叫承天意、合大道，
>
> 合于大道才会善保终生。

六

（原第四章）

dào chōng[1] ér yòng zhī huò bù yíng yuān xī sì wàn
道 冲[1] 而 用 之 或 不 盈。渊 兮 似 万

wù zhī zōng cuò qí ruì jiě qí fēn hé qí guāng tóng qí
物 之 宗。挫 其 锐，解 其 纷，和 其 光，同 其

chén zhàn xī sì huò cún wú bù zhī shéi zhī zǐ xiàng dì
尘。湛 兮 似 或 存，吾 不 知 谁 之 子，象 帝

zhī xiān
之 先。

【注释】

[1]冲：空虚状。

【按】

本章描述道的特点：可以使人妄想平息，杂念清除，强调它"似万物之宗""象帝之先"。

由此，老子认识到了"道"在物质和心灵世界中都是本体。

【直译】

道不可见，可是用它又用不完，它是多么深沉，好像是万物的宗主。它使人放弃固执，平息杂念，它蕴涵着光明，似混合着微尘。它是多么深湛，若存若亡。我找不出谁造就了它，好像它存在于天帝之先。

【诗译】

道，是那样空虚无状无形，

可它发挥的作用是无止无尽。

它把躁动与激进变得和缓平静，

它把纷扰与杂乱变得安详而条理分明。

每一线光明每一粒微尘，

都与它的力量相伴相生。

它是那样微妙难察若亡若存，

我不知它产生于谁，

但感到它先于天帝而生。

七

（原第六章）

gǔ shén bù sǐ　shì wèi xuán pìn　xuán pìn zhī mén　shì
谷 神 不 死，是 谓 玄 牝，玄 牝 之 门，是

wèi tiān dì gēn　mián mián ruò cún　yòng zhī bù qín
谓 天 地 根。绵 绵 若 存，用 之 不 勤。

【按】

　　本章似承上一章内容，进一步肯定道为自然物与精神的根本源头。

【直译】

　　不论是五谷一类的自然物还是神明，它们生命的力量都来自幽深的宁静，通过幽深的宁静这个门径，可以找到天地的根本。它像帛布般细柔微薄，取用它用不着动作行为。

【诗译】

　　　　从地上的五谷到天上的神明，

　　　　生命的伟力源于幽深的宁静。

　　　　宁静就是与道相合的大门。

　　　　道中的精气像帛布一般，

　　　　像帛布一般细柔微妙若亡若存。

　　　　以宁静取用它无穷无尽。

八

（原第三十四章）

dà dào fàn   xī   qí kě zuǒ yòu   wàn wù shì zhī ér
大 道 泛^[1] 兮，其 可 左 右。万 物 恃^[2] 之 而

shēng ér bù cí   gōng chéng bù míng yǒu   yī yǎng wàn wù
生 而 不 辞，功 成 不 名 有。衣 养 万 物

ér bù wéi zhǔ   cháng wú yù   kě míng yú xiǎo   wàn wù guī
而 不 为 主，常 无 欲，可 名 于 小，万 物 归

yān ér bù wéi zhǔ   kě míng wéi dà   yǐ qí zhōng bú zì
焉，而 不 为 主，可 名 为 大。以 其 终 不 自

wéi dà   gù néng chéng qí dà
为 大，故 能 成 其 大。

【注释】

[1]泛：同"泛"。

[2]恃：依靠。

【直译】

大道像河水一样泛滥流动，在它可以照顾的左右两岸。万物
依靠它生长，它不推辞自己的义务，它成就了功绩不自居，养育
了万物而不以主宰自诩，它这样一直心无所欲，可以说它心志很
小，万物归于它，可它不以主子自居，可以说它的心性伟大。因
为它始终不自高自大，所以能成就伟大的功业。

【诗译】

　　　　大"道"是多么广泛深沉，

　　　　源源而来养育万物不辞劳辛。

　　　　养育万物却不以主子自矜，

　　　　要论欲望它是否小得可怜？

　　　　万物归于它却不知它是主人，

　　　　要论博大，谁能赶得上它的胸襟？

　　　　正因为它无私奉献谦虚谨慎，

　　　　最终成就了伟大的功勋伟大的精神！

九

（原第一章）

dào kě dào　fēi cháng dào　míng kě míng　fēi cháng
道 可 道，非 常 道；名 可 名，非 常

míng　wú míng tiān dì zhī shǐ　yǒu míng wàn wù zhī mǔ
名 。无 名 天 地 之 始，有 名 万 物 之 母。

gù cháng wú yù yǐ guān qí miào　cháng yǒu yù yǐ guān qí
故 常 无 欲 以 观 其 妙，常 有 欲 以 观 其

jiào　cǐ liǎng zhě tóng chū ér yì míng　tóng wèi zhī xuán　xuán
徼 。此 两 者 同 出 而 异 名，同 谓 之 玄。玄

zhī yòu xuán　zhòng miào zhī mén
之 又 玄，众 妙 之 门。

【按】

本章是对道的特点的总结。

1. 天地之始、万物之母。

2. 借非眼视觉认识道的方法。

【直译】

道，如果可以说尽，就不是永恒的道。名，如果可以根据现成的概念命名，就不是不变的名。未有其名时，天地在道中产生；说它是道，是以它是万物之母譬喻。因此，我常常用道认知宇宙的本源，也常常用道来认知万物的生命过程。宇宙无名的昨天，万物有名的今天，都产生于道，它们都来自深远的道。那深而又

深的道，是一切生命秘密所在。

【诗译 】

> 永恒的道没法说尽，
>
> 能够说尽的就不是永恒；
>
> 永恒的名没法命名，
>
> 以"道"为譬喻是无可奈何的谓称。
>
> 它产生于天地之前鸿蒙未分，
>
> 没有天地没有词语没有"道路"怎么命名?
>
> 命名为"道"，说它如大道之旁草木丛生，
>
> 长育万物犹如孕育子女的母亲。
>
> 由无名的过去，可以把宇宙万物的奥秘探寻；
>
> 从有名的现在，可以看到它长养万物的具体过程。
>
> 不论它有名还是无名，道就是道，
>
> "天地之始，万物之母"是它的根本特征。
>
> 进入深而又深的寂定吧，
>
> 你可以找到认识自然万物的门径。

十

（原第五十二章）

天下有始，以为天下母。既得其母，以知其子。既知其子，复守其母，没身不殆。塞其兑，闭其门，终身不勤[1]。开其兑，济其事，终身不救。见小曰明，守柔曰强。用其光，复归其明，无遗身殃，是为习常。

【注释】

[1]勤：“病”的意思。

【按】

本章从理论和方法谈非眼视觉认识宇宙万物来因去果，是“执古道以御今之有”的生动说明。

此外，本章也是对修道必要性的有力论证。

【直译】

世间万物都有产生的初始之物，我把这个初始喻为万物之母，认识了万物之母，就可认清万物。认清了万物，更应主动回归万物之母，如此，可以终身平顺。闭住嘴，收住心，终身无恙。吵吵闹闹，忙这忙那，一辈子不可救药。认得出微妙的，才会有大智慧，守得住柔弱的，才会产生刚强。发挥修道所蕴涵的光，让它回到深湛的道的光明中去，就不会造成灾害。这是应当经常训练的方法。

【诗译】

道是天地万物的根本，

犹如孕育子女的母亲。

由道认识了万物的来龙去脉，

倍觉与道相合是宝贵的操行。

与道相合就会有不朽的生命博大的胸襟，

超人的智慧力量与真正的安乐欢欣。

闭上嘴合上眼不必劳骨动筋，

超人的智慧力量安乐幸福就会产生。

许多人吵吵嚷嚷东走西奔，

沉不住气怎能指望大业有成？

把握住微妙的东西才叫聪明，

守住柔弱才会有刚强产生，

涵养光明让它更为光明，

生命的航程才没有黑暗的阴森。

这就是修道的奥妙啊，

这就是修道的准绳！

十一

（原第二十一章）

kǒng dé zhī róng　wéi dào shì cóng　dào zhī wéi wù
孔[1]德[2]之容，惟道是从。道之为物，

wéi huǎng wéi hū　hū xī huǎng xī　qí zhōng yǒu xiàng
惟 恍 惟 惚。惚 兮 恍 兮，其 中 有 象；

huǎng xī hū xī　qí zhōng yǒu wù　yǎo xī míng xī qí
恍 兮 惚 兮，其 中 有 物；窈[3]兮 冥[4]兮，其

zhōng yǒu jīng
中 有 精。

qí jīng shèn zhēn　qí zhōng yǒu xìn　zì gǔ jí jīn
其 精 甚 真，其 中 有 信。自 古 及 今，

qí míng bú qù　yǐ yuè zhòng fǔ　wú hé yǐ zhī zhòng fǔ
其 名 不 去，以 阅 众 甫。吾 何 以 知 众 甫

zhī zhuàng zāi　yǐ cǐ
之 状 哉？以 此。

【注释】

[1]孔：大。

[2]德：心灵所得。

[3]窈：深远。

[4]冥：昏暗。

【按】

本章表现了老子从宏观的道确认了具有道的本质特征的微观粒

子——"精"的历程，揭示了"阅众甫"的秘密所在。

【直译】

　　我最大的心灵所得，就是随道而行。道这种物质，看上去恍惚不清，追随恍惚，又看到其中图像；追随着恍惚感，眼前映现出物质，深而又深地追随这种物质，发现它由米粉般的微粒组成，这些微粒真真切切。微粒中有很确切的图像，从古到今，这些微粒从来不变，我借助于它们认识万物产生的初始样子，这下你知道了，我凭什么了解万物，生死存亡规律呢？就凭这些"精"。

【诗译】

　　　　　　最明智的心性是与道同形，

　　　　　　与道同形才会把道来详细认清。

　　　　　　它如空气恍恍惚惚无状无形，

　　　　　　恍惚里又有形象分分明明，

　　　　　　恍惚里又有实物模糊不清，

　　　　　　深深追寻，见到它如精细的米粉，

　　　　　　这精微的物质切切真真，

　　　　　　用它知古达今有无数确证可凭。

　　　　　　亘古以来它未尝改姓易名，

　　　　　　凭借它可以看清万物怎样产生。

　　　　　　我找到的是伟大的真理，

　　　　　　我知道了万物化生的来踪去影！

十二
（原第七十七章）

　　tiān zhī dào　　qí yóu zhāng gōng yú　　gāo zhě yì zhī
　　天 之 道，其 犹 张 弓 与！高 者 抑 之，

xià zhě jǔ zhī　　yǒu yú zhě sǔn zhī　　bù zú zhě bǔ zhī　　tiān
下 者 举 之，有 馀 者 损 之，不 足 者 补 之。天

zhī dào　　sǔn yǒu yú ér bǔ bù zú　　rén zhī dào zé bù rán
之 道，损 有 馀 而 补 不 足，人 之 道 则 不 然，

sǔn bù zú yǐ fèng yǒu yú　　shú néng yǒu yú yǐ fèng tiān xià
损 不 足 以 奉 有 馀。孰 能 有 馀 以 奉 天 下？

wéi yǒu dào zhě　　shì yǐ shèng rén wéi ér bú shì　　gōng chéng
唯 有 道 者。是 以 圣 人 为 而 不 恃， 功 成

ér bù chǔ　　qí bú yù xiàn xián
而 不 处，其 不 欲 见 贤。

【按】

　　本章记述了道"损有馀而补不足"的体验，反思现实。

【直译】

　　大自然的规律，就像拉开弓箭，使之得到圆满一样。高的压低，低的举高，多余的减掉，不足的补充起来。

　　道的规律就是把多余的部分减掉，补充给不足的部分，人间的规律就不是这样——总是贫困者供奉富有者。谁能把多余的东西供给别人？只有天道。

因此，圣人应当是做了好事不高高在上，功绩完成了不居功，不愿炫耀自己有多了不起。

【诗译】

犹如拉弓射箭得到了圆满，

天道的规律就是使一切合理合情。

过高的，就把它压抑；

过低的，就把它上升。

多余的，就让它减损；

不足的，就让它补增。

人世间的规律却往往相反；

供奉富翁的恰好是赤贫。

只有道的业绩才圆满可敬，

把多余的一切献给众生。

你要获得伟大光明与神圣吗？

行大道吧，鞠躬尽瘁无私奉献，

不求回报不为私欲不图美名！

十三

（原第五十一章）

dào shēng zhī　dé xù　zhī　wù xíng zhī　shì chéng
道　生　之，德　畜[1] 之，物　形　之，势　成

zhī　shì yǐ wàn wù mò bù zūn dào ér guì dé　dào zhī zūn
之。是 以 万 物 莫 不 尊 道 而 贵 德。道 之 尊，

dé zhī guì　fú mò zhī mìng ér cháng zì rán　gù dào shēng
德 之 贵，夫 莫 之 命 而 常 自 然。故 道 生

zhī　dé xù zhī　zhǎng zhī yù zhī　tíng　zhī dú　zhī yǎng
之，德 畜 之，长 之 育 之，亭[2] 之 毒[3] 之，养

zhī fù　zhī　shēng ér bù yǒu　wéi ér bú shì　zhǎng ér bù
之覆[4] 之。生 而 不 有，为 而 不 恃，长 而 不

zǎi　shì wèi xuán dé
宰，是 谓 玄 德。

【注释】

[1]畜：养育、繁殖。

[2]亭：结果实。

[3]毒：成熟。

[4]覆：覆盖、保养。

【按】

本章着重推论尊道贵德的思想。

【直译】

　　道，产生万物，德，养育万物；道赋予万物雏形，德蕴涵道，使万物长势有成。因此，万物莫不以道为尊，以德为贵。

　　道所以被尊崇，德所以被珍视，没有谁来命令，它本来就是如此。总之，"道"使万物产生，德使万物繁殖，"道""德"使万物成长、发育、结果、成熟，万物得到养育、保护。

　　生养了万物而不据为己有，推进了万物成长而不居功，做万物的尊长而不做主宰，就是最深远的德。

【诗译】

　　　　　　道是产生万物的根本，
　　　　　　德是涵养道的心性，
　　　　　　物种界定了事物的形状，
　　　　　　时机使事物壮大老成。
　　　　　　因此以德为贵以道为尊，
　　　　　　这是自然的规律无须号令。
　　　　　　对万物生长成熟加以保护，
　　　　　　不要回报不求利欲不图美名，
　　　　　　这就是最深湛而圆满的德性。

十四

（原第三十二章）

dào cháng wú míng　　 pǔ 　suī xiǎo　 tiān xià mò néng chén
道 常 无 名。朴[1] 虽 小，天 下 莫 能 臣[2]

yě　 hóu wáng ruò néng shǒu zhī　 wàn wù jiāng zì bīn　　 tiān
也。侯 王 若 能 守 之，万 物 将 自 宾[3]。天

dì xiāng hé　　 yǐ jiàng gān lù　 mín mò zhī lìng ér zì jūn
地 相 合，以 降 甘 露，民 莫 之 令 而 自 均。

shǐ zhì yǒu míng　　 míng yì jì yǒu　 fú yì jiāng zhī zhǐ　 zhī
始 制 有 名，名 亦 既 有，夫 亦 将 知 止。知

zhǐ kě yǐ bú dài　 pì dào zhī zài tiān xià　 yóu chuān gǔ zhī
止 可 以 不 殆。譬 道 之 在 天 下，犹 川 谷 之

yú jiāng hǎi
于 江 海。

【注释】

[1]朴：璞玉，引申为纯朴，这里再引申为具有道的特性的"精"，亦称"一"。

[2]臣：使之为臣。

[3]宾：以之为宾，引申为服从。

【按】

本章着重论朴，朴即道的质性。

【直译】

道的大象永远不可名状。道的微观"朴"很小，但天地万物无法支配它。如果侯王能与朴相合，天下都将向他归顺。那时候，将是天地和谐，风调雨顺。百姓不需命令，自觉使财富均匀。需要政体，就产生政体；需要管理，就有了管理。政权的管理也会适可而止。

适可而止才不会有危险，正如道为天下所归，江海为百川所归。

【诗译】

凭什么可以把"道"来认清？

就凭那精气切实可凭。

它生成万物不论千变万化，

待到果壮大成原形未改半分。

就给它命名为"朴"吧！

它像璞玉未经雕琢亘古永恒。

精微的朴，它是主人从不为臣。

侯王有德，何愁霸业无成？

天地将为他风调雨顺，

民众将对他俯首为臣，

政体将为他而建立。

如果他仍然保持朴一样的品性，

天下将如百川汇海向他归顺。

十五

（原第四十章）

fǎn zhě dào zhī dòng　ruò zhě dào zhī yòng　tiān xià wàn
反 者 道 之 动，弱 者 道 之 用。天 下 万
wù shēng yú yǒu　yǒu shēng yú wú
物 生 于 有，有 生 于 无。

【按】

本章作为对道的规律之一的阐述，是"物极必反"的具体说明，是"贵柔"思想的出发点。

【直译】

道的运动规律是物极必反，贵柔就是对这一规律的运用。天下万物从具体形质中产生，而一些形质都产生于无形的道。

【诗译】

为何要强调柔弱虚心？
因为道的规律是相反相成。
幼弱的生命才蓬勃旺盛，
老壮的事情将音消形殒。
万物生于"有"的追求"有"的环境，
而一切的"有"产生于"无"的背景"无"的底蕴。

十六

（原第三十七章）

dào cháng wú wéi　ér wú bù wéi　hóu wáng ruò néng
道 常 无 为，而 无 不 为。侯 王 若 能

shǒu zhī　wàn wù jiāng zì huà　huà ér yù zuò　wú jiāng zhèn
守 之，万 物 将 自 化。化 而 欲 作，吾 将 镇

zhī yǐ wú míng zhī pǔ　wú míng zhī pǔ　fú yì jiāng bú
之 以 无 名 之 朴。无 名 之 朴，夫 亦 将 不

yù　bú yù yǐ jìng　tiān xià jiāng zì dìng
欲。不 欲 以 静，天 下 将 自 定。

【按】

本章表明了老子"志在天下"的修道弘道思想。

【直译】

道，永远是看不出它做了些什么，其实什么都做了。假若把住这个原则，万物都将向他归化。归化中还有什么私欲兴起，我将用"朴"来教化、感染他们，使他们放弃妄念，达到安静。这样，天下将自然平定了。

【诗译】

道无所作为风波不兴，

又是无所不为万物滋生。

侯王要是能知能行，

万物将自动向他归顺。
如果有邪念和贪欲产生，
我将用朴的教化来给予匡正。
无名的朴可以镇服人心，
使天下平平静静安安定定。

十七

（原第四十二章）

dào shēng yī   yī shēng èr   èr shēng sān   sān shēng
道 生 一， 一 生 二， 二 生 三， 三 生

wàn wù   wàn wù fù yīn ér bào yáng   chōng qì yǐ wéi hé
万 物。 万 物 负 阴 而 抱 阳， 冲 气 以 为 和。

rén zhī suǒ wù   wéi gū   guǎ   bù gǔ   ér wáng gōng yǐ
人 之 所 恶， 唯 孤、 寡、 不 穀[1]， 而 王 公 以

wéi chēng   gù wù   huò sǔn zhī ér yì   huò yì zhī ér sǔn
为 称。 故 物， 或 损 之 而 益， 或 益 之 而 损。

rén zhī suǒ jiào   wǒ yì jiào zhī   qiáng liáng   zhě bù dé qí
人 之 所 教， 我 亦 教 之，" 强 梁[2] 者 不 得 其

sǐ   wú jiāng yǐ wéi jiào fù
死 "。 吾 将 以 为 教 父。

【注释】

[1]不穀：不善也。

[2]强梁：霸道，蛮横。

【按】

本章阐明了道生万物的宇宙观，描述了其运动的形成、条件。

【直译】

道，产生了第一级物质，这就是用"甲、乙、丙、丁、戊、

己、庚、辛、壬、癸"标记的阴阳五行"天干"，阴阳五行又互相感应交合，产生了第二级能量体，即"地支""六气"（少阴君火、少阳相火、厥阴风木、阳明燥金、太阳寒水、太阴湿土）用"子、丑、寅、卯、辰、巳、午、未、申、酉、戌、亥"来标记。

"六气"之间继续感应、交合就产生了（具有分子、原子意义上的）第三级物质。正是这些物质再进行感应交合产生了宇宙万物。万物都是阴阳和合而成。

在这样的交合过程中，由于阴、阳之间既互相对立，又相互吸引，于是这种交合从"五行"形成"六气"开始，它们之间有冲虚的能量形成的空间，这种"冲虚"的状态正是物质间既对立又和睦统一形成有机整体的关键。从精神品质来说，就是对立双方一定程度上的"谦让"，有了这种"谦让""谦逊"，不过分张扬、进逼，才有了世间万物的存在，称谓"和谐"。

就人而言，人们都忌讳"孤""寡""不穀"这些称谓，但名位至极的君王却以这些谦卑的名词自称（反而受到人们恭敬）。因此，有时候退损一点反而有益，有时进逼一些反而受损。

常言道："强暴蛮横者不得善终"，我也用这句话告诫世人，并作为处世哲学的首要观点。

【诗译】

　　　　道产生了阴阳五行，
　　　　五行交合变化成了六气，
　　　　六气交合产生了万物，
　　　　阴阳和合是万物的底蕴。
　　　　和合中总有距离分寸。
　　　　和合、谦退产生交合的空间。

动静有度才有万物的安稳。

"孤""寡""不穀"之词，世人厌憎。

君王以此自称却反受尊敬！

位极人世更要谦逊退让。

虚怀若谷、返璞归真才会身安事成。

常言道："强暴者不得好死！"

这道理原来是万物底蕴。

谦虚谨慎，是安身立命的首要法宝啊！

我将弘扬这道义把世人唤醒！

十八

（原第三十九章）

xī zhī dé yī zhě　tiān dé yī yǐ qīng　dì dé yī yǐ
昔 之 得 一 者， 天 得 一 以 清， 地 得 一 以

níng　shén dé yī yǐ líng　gǔ dé yī yǐ yíng　wàn wù dé
宁， 神 得 一 以 灵， 谷 得 一 以 盈， 万 物 得

yī yǐ shēng　hóu wáng dé yī yǐ wéi tiān xià zhēn　qí zhì
一 以 生， 侯 王 得 一 以 为 天 下 贞[1]。 其 致

zhī　tiān wú yǐ qīng　jiāng kǒng liè　dì wú yǐ níng　jiāng
之。 天 无 以 清， 将 恐 裂； 地 无 以 宁， 将

kǒng fèi　shén wú yǐ líng　jiāng kǒng xiē　gǔ wú yǐ yíng
恐 发； 神 无 以 灵， 将 恐 歇； 谷 无 以 盈，

jiāng kǒng jié　wàn wù wú yǐ shēng　jiāng kǒng miè　hóu wáng
将 恐 竭； 万 物 无 以 生， 将 恐 灭； 侯 王

wú yǐ guì gāo　jiāng kǒng jué　gù guì yǐ jiàn wéi běn　gāo yǐ
无 以 贵 高， 将 恐 蹶。 故 贵 以 贱 为 本， 高 以

xià wéi jī　shì yǐ hóu wáng zì wèi gū guǎ bù gǔ　cǐ
下 为 基。 是 以 侯 王 自 谓 孤、 寡、 不 穀[2]， 此

fēi yǐ jiàn wéi běn yé　fēi hū　gù zhì shù yú wú yú　bú
非 以 贱 为 本 邪？ 非 乎。 故 致 数 舆 无 舆。 不

yù lù lù rú yù　luò luò rú shí
欲 琭 琭[3] 如 玉， 珞 珞[4] 如 石。

【注释】

[1]贞：通"正"，首领。

[2]穀：善。

[3]琭：美玉。

[4]珞：坚石。

【按】

本章力赞精微的"一"的妙处，是全书"贵以贱为本，高以下为基"、重微守弱的理论依据。

【直译】

自古以来，万物莫不以微妙的"一"为竭力所求。天空得一才会清澄，大地得一才会安宁，神得一才会灵验，五谷得一才会丰登，万物得一才会产生，侯王得一才会当天下的首领。

天不以一而清，怕要破裂；地不以一而宁，怕要震动；神不以一而灵验，就该灭绝了；谷不以一而丰登，恐怕要衰竭；万物不凭一而生，就要毁灭；侯王不以一来使自己高贵，恐怕样子就很惨了。

因此，贵以贱为根本，高以低下为基础。王侯自称孤、寡、不穀，这不正是以贱为本吗？难道不是吗？

因此，最高的荣誉是不追求荣誉。既不想成为亮闪闪的美玉，也不回避做一块平凡的石头。

【诗译】

得到"一"就是合道的特征：

天地得一就会清宁，

神明得一才叫神灵，

五谷得一才会丰登，

万物得一才会有生命运行，

侯王得一才会成为天下首领。

万物都由微乎其微的一产生。

天地不清，只怕天塌地震；

神而失灵，就会荡然无存；

谷不丰登，怎会延子续孙；

万物不生，哪来锦绣前程；

侯王失尊，定然一蹶不振。

是的，尊贵在卑贱中产生，

高楼在平地上建成。

王侯国君常以孤、寡、不穀自称，

这些名称本来引人厌恶憎恨，

却反而得到了尊贵的效应，

这难道不是以贱为本的明证？

是的，最高的荣誉就是不追求荣誉，

让心灵像璞玉般无华，顽石般安稳。

十九

（原第六十二章）

dào zhě　wàn wù zhī ào　　shàn rén zhī bǎo　bú shàn
道 者，万 物 之 奥[1]，善 人 之 宝，不 善

rén zhī suǒ bǎo　měi yán kě yǐ shì　　zūn xíng kě yǐ jiā
人 之 所 保。美 言 可 以 市[2]，尊 行 可 以 加

rén　rén zhī bú shàn　hé qì zhī yǒu
人。人 之 不 善，何 弃 之 有？

gù lì tiān zǐ　zhì sān gōng　　suī yǒu gǒng bì　　yǐ
故 立 天 子，置 三 公[3]，虽 有 拱 璧[4]，以

xiān sì mǎ　　bù rú zuò jìn cǐ dào　gǔ zhī suǒ yǐ guì cǐ
先 驷 马[5]，不 如 坐 进 此 道。古 之 所 以 贵 此

dào zhě hé　　bù yuē yǐ qiú dé　yǒu zuì yǐ miǎn yé　gù wéi
道 者 何？不 曰 以 求 得，有 罪 以 免 邪？故 为

tiān xià guì
天 下 贵。

【注释】

[1]奥：深。

[2]市：做买卖，这里引申为资本。

[3]三公：天子以下的三位高官。

[4]拱璧：圆形璧玉。

[5]驷马：四匹马拉的车，至为尊贵。

【按】

本章强调修道的重要性。

【直译】

道，深藏万物，它是善人的至宝，恶人也要保有它。

善人以优美的语言，可以赢得别人的叹服，美的行为可以使人尊敬。不善之辈能给别人什么呢？但他们总要活命。

因此，国君即位，三公受勋一类的庆典，纵然又是以美玉相赠，又是驷马奔驰，隆重又热烈，不如由道来与天地冥合。古来人们一直重道的原因何在？就在于它有求必应，对恶人善人一视同仁。

【诗译】

不论善人还是恶人，

道都是他们的命根。

善者的美言可以赢得尊仰，

美的操行可以令人钦敬。

恶者虽拿不出美的德性，

也要依道来保养身心。

因此隆重的庆典庄严神圣，

不如以修道的礼仪暗表寸心。

有求必应有志必成，

这就是古往今来重道守一的原因。

二十

（原第十章）

zài yíng pò bào yī　néng wú lí hū　zhuān qì zhì
载 营 魄 抱 一， 能 无 离 乎？ 专 气 致

róu　néng yīng ér hū　dí chú xuán lǎn　néng wú cī hū　ài
柔， 能 婴 儿 乎？ 涤 除 玄 览， 能 无 疵 乎？ 爱

mín zhì guó　néng wú zhì hū[1]　tiān mén kāi hé　néng wú cí
民 治 国， 能 无 知 乎[1]？ 天 门 开 阖， 能 无 雌

hū　míng bái sì dá　néng wú wéi hū　shēng zhī　　xù zhī
乎？ 明 白 四 达， 能 无 为 乎？ 生 之、 畜 之，

shēng ér bù yǒu　wéi ér bú shì　zhǎng ér bù zǎi　shì wèi
生 而 不 有， 为 而 不 恃， 长 而 不 宰， 是 谓

xuán dé
玄 德。

【注释】

[1]知：同"智"。

【按】

本章全面地阐述了修道的要点。

【直译】

使身心合道，能不分离吗？使呼吸柔和，能像婴儿一样吗？清除功境中的妄念，能干干净净吗？管理国家，能无知无欲吗？气

感动荡，能保持安静吗？使智慧通达，能不用心吗？

促使万物生长、繁殖，不占据它们，不炫耀自己，不做主宰，是最深的德性。

【诗译】

怎样达到最美的德性？

——身心合道不离不分。

怎样才能强体健身？

——使呼吸轻柔一如幼婴。

怎样使智慧豁达光明？

——清除杂念忘却纠纷。

怎样才能治国爱民？

——自自然然寡欲清心。

怎样实现壮志雄心？

——坐等良机稳健安宁。

记住：舍弃私欲，无私奉献。

伟大的事业须有伟大的品性。

二、思维方法之道

弘道篇 · 辩证论

在无为中让智慧滋生，
在安静中把良机捕寻，
在平淡中把浓厚酿成。
把重大看成渺小，把纷繁看成简单。
以感激对待仇怨，以容易看待艰难。
从细微的头绪引出大业的开端，
从易于突破的地方克服困难。

弘道，即用道的原理、原则、方法来服务现实、指导人生。当然首先要由"道"建立起达观的智慧——哲学。你可以看出，老子的确是圣明的哲人，辩证法的行家。

⊙弘道篇·辩证论（五章）

一

（原第六十三章）

wéi wú wéi　shì wú shì　wèi wú wèi
为 无 为，事 无 事，味 无 味。

dà xiǎo duō shǎo　bào yuàn yǐ dé　tú nán yú qí yì
大 小 多 少，报 怨 以 德，图 难 于 其 易，

wéi dà yú qí xì
为 大 于 其 细。

tiān xià nán shì　bì zuò yú yì　tiān xià dà shì　bì
天 下 难 事，必 作 于 易。天 下 大 事，必

zuò yú xì　shì yǐ shèng rén zhōng bù wéi dà　gù néng chéng
作 于 细。是 以 圣 人 终 不 为 大，故 能 成

qí dà　fú qīng nuò bì guǎ xìn　duō yì bì duō nán　shì yǐ
其 大。夫 轻 诺 必 寡 信，多 易 必 多 难。是 以

shèng rén yóu nán zhī　gù zhōng wú nán yǐ
圣 人 犹 难 之，故 终 无 难 矣。

【按】

本章是辩证观的妙谈。

【直译】

以无为实现有为，以无事完成有事，以无味品尝有味。

把大事看作小事，把繁杂看成简单，以感激对待怨恨，以简易驾驭繁难，从细小处干大事。天下的难事，必须从简易处入手。天下的大事，必须从细小处入手。所以圣人并不显得在做大事，

却能成就大业。

但是，轻许的诺言难以兑现，求简易必遇繁难。因此，圣人总是很重视困难，最终无所难。

【诗译】

在无为中让智慧滋生，

在安静中把良机捕寻，

在平淡中把浓厚酿成。

把重大看成渺小，把纷繁看成简单。

以感激对待仇怨，以容易看待艰难。

从细微的头绪引出大业的开端，

从易于突破的地方克服困难。

天下的大事本身由小事组成，

善于成功的圣人总把它看得很轻。

但轻许的诺言难以兑现，

轻举妄动会陷入深重的困难。

小以为大，以易为难，

这样赢得成功才堪称圣贤。

二

（原第四十五章）

dà chéng ruò quē   qí yòng bú bì   dà yíng ruò chōng
大 成 若 缺，其 用 不 弊；大 盈 若 冲，

qí yòng bù qióng   dà zhí ruò qū   dà qiǎo ruò zhuō   dà biàn ruò
其 用 不 穷。大 直 若 屈，大 巧 若 拙，大 辩 若

nè   zào shèng hán   jìng shèng rè   qīng jìng wéi tiān xià zhèng
讷。躁 胜 寒，静 胜 热，清 静 为 天 下 正。

【按】

本章从辩证论入手论述清静无为的益处。

【直译】

最圆满的东西好似欠缺，但用起来就知道它的圆满。最充盈的东西好似空虚，但它到底是用之不完。最端直的好似弯曲，最灵巧的好似笨拙，最善于辩论的好似不会讲话。急躁可战胜寒冷，宁静能战胜炎热，清静无为可以君临天下。

【诗译】

完美的东西总像有缺损，

但时间会证明它声誉日增。

最充实的东西反觉空茫，

但空间会证明它十分充盈。

太正直，总像有些弯曲。

很聪明，倒显得有些愚钝。

口若悬河的未必真有辩才，

慢条斯理往往是成竹在心。

对僵局，用猛烈的冲击。

对险恶，以深沉的安静。

带着你的雄心与道相合，

号令天下的时刻就会来临。

三

（原第十八章）

dà dào fèi yǒu rén yì huì zhì chū yǒu dà wěi liù
大 道 废， 有 仁 义； 慧 智 出， 有 大 伪； 六

qīn bù hé yǒu xiào cí guó jiā hūn luàn yǒu zhōng chén
亲 不 和， 有 孝 慈； 国 家 昏 乱， 有 忠 臣。

【按】

本章层层推证，反论修道守本的重要性。

【直译】

大道被废弃，才有仁义产生；智慧出现，才有了诡诈虚伪。家庭闹起了矛盾，才有慈爱、孝顺；国家面临危机，才有良将忠臣。

【诗译】

停止了合道的德性，

才有了"仁义"的鸿运。

出现了智慧聪明，

才有了阿谀奉承。

家庭发生了矛盾，

才有了慈爱孝敬。

国家陷入了昏乱，

才有了良将忠臣。

四

（原第十一章）

sān shí fú gǒng　yì gǔ　dāng qí wú　yǒu jū zhī
三 十 辐 共[1] 一 毂， 当 其 无， 有 车 之

yòng　shān zhí　yǐ wéi qì　dāng qí wú　yǒu qì zhī yòng
用 。 埏 埴[2] 以 为 器， 当 其 无， 有 器 之 用 。

záo hù yǒu yǐ wéi shì　dāng qí wú　yǒu shì zhī yòng　gù yǒu
凿 户 牖 以 为 室， 当 其 无， 有 室 之 用 。 故 有

zhī yǐ wéi lì　wú zhī yǐ wéi yòng
之 以 为 利， 无 之 以 为 用 。

【注释】

[1]共：即拱，集中的意思。

[2]埏埴：抟击泥土。

【按】

本章论有无之对立统一。

【直译】

三十个条辐集中到一个毂，有了中间的间隙，才有了车的作用。抟击泥土做陶器，使泥土中间空虚，才有了器皿的作用。开凿门窗来建造屋室，有了房子中间的空间，才有了房间的作用。所以，物质提供便利，智慧产生作用。

【诗译 】

> 三十个条辐连接轴承，
>
> 有了空间才有了车轮。
>
> 抟击黏土制作出瓦罐，
>
> 有了空间才有了器皿。
>
> 挖一个窑洞开窗立户，
>
> 有了空间才有了门庭。
>
> 有形的物质是可凭的资本，
>
> 空明的智慧是创造的动能。

五

（原第二章）

tiān xià jiē zhī měi zhī wéi měi　sī è yǐ　jiē zhī shàn
天 下 皆 知 美 之 为 美，斯 恶 已；皆 知 善

zhī wéi shàn　sī bú shàn yǐ　gù yǒu wú xiāng shēng　nán
之 为 善，斯 不 善 已。故 有 无 相 生，难

yì xiāng chéng　cháng duǎn xiāng xíng　gāo xià xiāng qīng　yīn
易 相 成，长 短 相 形，高 下 相 倾，音

shēng xiāng hè　qián hòu xiāng suí　shì yǐ shèng rén chǔ wú wéi
声 相 和，前 后 相 随。是 以 圣 人 处 无 为

zhī shì　xíng bù yán zhī jiào　wàn wù zuò yān ér bù wéi shǐ
之 事，行 不 言 之 教，万 物 作 焉 而 不 为 始，

shēng ér bù yǒu　wéi ér bú shì　gōng chéng ér fú jū　fú
生 而 不 有，为 而 不 恃，功 成 而 弗 居。夫

wéi fú jū　shì yǐ bú qù
唯 弗 居，是 以 不 去。

【按】

本章从辩证的角度论无为之益。

【直译】

天下都知道以美的标准辨识美，丑的概念也就成立了；都知道
以善的标准认识善，不善的标准也就产生了。

因此，有与无，难与易，长与短，高与下，声和音，前与后，
都是相对立而存在，相比较而鉴别。

123

那么，圣人为了有为，就应当求无为。想教化人，反而不言语。任凭万物兴起而不预先造作，养育了万物而不占有它，不自以为了不起，不居功自傲，反而使功业不灭。

【诗译】

　　　　　　有了美的标准，就有了丑的划分，

　　　　　　有了善的概念，就有了恶的反应。

　　　　　　因此啊，

　　　　　　有无相生，难易相成，

　　　　　　长短相形，高下相倾，

　　　　　　音声相和，前后对称；

　　　　　　因此啊，

　　　　　　无为之法，偏成事功，

　　　　　　不言之教，直指心灵，

　　　　　　甘为人后，偏在人前，

　　　　　　不为功名，功名长存。

三、立身处世之道

弘道篇·致士民

你可以追求高贵富有，
但必须忍耐卑贱贫困。
就好比空谷静穆无闻，
静穆中，充盈的机缘自然来临。

《弘道篇·致士民》是《道德经》里老子对自己的朋友们诉说的知心话，很动情，很实在，很坦率。它催人成熟，使人清醒，给人以成功的勇气、智慧和力量，揭示了怎样对待事业、工作、领导、下属等为人处世的奥妙。

⊙弘道篇·致士民（十九章）⊙

一

（原第五章）

tiān dì bù rén　yǐ wàn wù wéi chú gǒu　shèng rén bù
天 地 不 仁，以 万 物 为 刍 狗[1]；圣 人 不

rén　yǐ bǎi xìng wéi chú gǒu　tiān dì zhī jiān　qí yóu tuó yuè
仁，以 百 姓 为 刍 狗。天 地 之 间，其 犹 橐 籥[2]

hū　xū ér bù qū　dòng ér yù chū　duō yán shuò qióng　bù
乎？虚 而 不 屈，动 而 愈 出。多 言 数 穷，不

rú shǒu zhōng
如 守 中。

【注释】

[1]刍狗：草扎的狗，祭祀时用，用完就扔掉。

[2]橐籥：风箱。

【按】

本章是对士的规劝，不要急于对君王进言，要冷静。

【直译】

天地没有仁慈，把万物当没生命的草狗对付；君王没有仁慈，把百姓当草狗看待。天地之间的事情，不像风箱吗？虽空虚却无尽，愈动，气越来得多。所以，最好少动心思，少管闲事，话说多了价值就轻了，不如保持平静。

【诗译】

天地没有仁慈悲悯，
体载万物原非爱憎。
侯王没有仁慈悲悯，
覆手为雨翻手为云。

万物有恒勿多用心，
譬如池水愈搅愈浑。
进言太紧价值就轻，
不如缄口等他来问。

二

（原第六十七章）

tiān xià jiē wèi wǒ dào dà　sì bú xiào　　fú wéi dà
天 下 皆 谓 我 道 大，似 不 肖^[1]。夫 唯 大，

gù sì bú xiào　ruò xiào　jiǔ yǐ qí xì yě fú　　wǒ yǒu sān
故 似 不 肖。若 肖，久 矣 其 细 也 夫！我 有 三

bǎo　chí ér bǎo zhī　　yī yuē cí　　èr yuē jiǎn　sān yuē bù
宝，持 而 保 之：一 曰 慈，二 曰 俭，三 曰 不

gǎn wéi tiān xià xiān
敢 为 天 下 先^[2]。

cí　　gù néng yǒng　jiǎn　gù néng guǎng　bù gǎn wéi tiān
慈，故 能 勇；俭，故 能 广；不 敢 为 天

xià xiān　gù néng chéng qì zhǎng　jīn shě cí qiě yǒng　shě
下 先，故 能 成 器 长。今 舍 慈 且 勇，舍

jiǎn qiě guǎng　shě hòu qiě xiān　sǐ yǐ　fú cí　yǐ zhàn zé
俭 且 广，舍 后 且 先，死 矣！夫 慈，以 战 则

shèng　yǐ shǒu zé gù　tiān jiāng jiù zhī　yǐ cí wèi zhī
胜，以 守 则 固。天 将 救 之，以 慈 卫 之。

【注释】

[1]肖：相似。

[2]不敢为天下先：可与四十九章"圣人无常心，以百姓心为心"相参。

【按】

本章论人生三宝"慈""俭""不敢为天下先"，着重论慈。

【直译】

　　天下的人都说我说的"道"太广大，不像任何具体东西，因此不可捉摸。正因为它广大，才不像任何具体事物，否则，就不叫广大无边。但道不是不可捉摸，依从道的规律，有三件法宝可用，一是慈善，二是节俭，三是不要不顾人心民情肆意行事。

　　慈善，能使人更勇猛；节俭，能使资财增加；不肆意妄行，能使万物正常发展。眼下无慈之勇，搜刮之财，肆意妄行，都是没有出路的。

　　慈善之勇，用来攻战，则取胜，用来守卫，则牢固。天都会帮助它，同样用慈善来保卫它。

【诗译】

　　　　　　浩浩茫茫是道的特征，
　　　　　　无所不在是道的质性。
　　　　　　何须哀叹难以企及，
　　　　　　生活中处处都有道行。

　　　　　　慈善、俭朴、不生妄情，
　　　　　　法宝三件助你功成。
　　　　　　英勇、厚道、如意顺心，
　　　　　　这就是三件法宝的功能。

　　　　　　不仁的勇猛乃是屠夫，
　　　　　　不俭的广厚就是奸臣，
　　　　　　不顾民心一意孤行，

死期不远横祸降临。

慈善，给奋进的正气凛凛；

慈善，给人坚定胜利信心；

慈善，与天地万物生气相合；

慈善，会使人远祸全身！

三

（原第十五章）

gǔ zhī shàn wéi shì zhě　wēi miào xuán tōng　shēn bù kě

古 之 善 为 士 者，微 妙 玄 通，深 不 可

shí　fú wéi bù kě shí　gù qiǎng wèi zhī róng　yù yān ruò

识。夫 唯 不 可 识，故 强 为 之 容。豫 焉 若

dōng shè chuān　yóu xī ruò wèi sì lín　yǎn xī qí ruò kè

冬 涉 川；犹 兮 若 畏 四 邻；俨 兮 其 若 客；

huàn xī ruò bīng zhī jiāng shì　dūn xī qí ruò pǔ　kuàng xī

涣 兮 若 冰 之 将 释；敦 兮 其 若 朴；旷 兮

qí ruò gǔ　hún xī qí ruò zhuó　shú néng zhuó yǐ jìng zhī xú

其 若 谷；混 兮 其 若 浊。孰 能 浊 以 静 之 徐

qīng　shú néng ān yǐ jiǔ dòng zhī xú shēng　bǎo cǐ dào zhě

清？孰 能 安 以 久 动 之 徐 生？保 此 道 者

bú yù yíng　fú wéi bù yíng　gù néng bì bù xīn chéng

不 欲 盈。夫 唯 不 盈，故 能 蔽 不 新 成。

【按】

本章言道之具体运用：谨慎。

【直译】

听说古代的那些高士，心细如发，深远而通达，不可衡量。

他们为人处世，慎之又慎，如履薄冰，反复权衡，生怕引出祸端。恭敬严肃，好像做客人一般；心里沉着，就像融化的冰块；敦厚实在，如璞玉一般；旷达豪迈，像高山空谷；包容一切，像

洪流滚滚。

他们动起来如洪流奔腾，静下来又清清宁宁，动静自如。

他们永远不恃功自居、恃才自满，因为不自满，他们总是能老当益壮，取得新的成就。

【诗译】

生活中处处都有道行，
为士的道行首推严谨。
古代的名士令人钦敬，
严谨成就了代代功名。

为人处世他们如履薄冰，
行止举措他们谦和恭敬。
庄重严肃像造访的来客，
不敢居高像涣然的春冰。

他们敦厚朴实让人暗自首肯，
心智豁达犹如山谷空明。
他们动起来翻江倒海，
静下来又是天地清澄。

这就是谦虚严谨的益处，
谦虚严谨就与道相形。
严谨，使谋略周密决胜千里。
恭谦，把胜券握得更紧。

四

（原第二十七章）

shàn xíng wú zhé jì shàn yán wú xiá zhé shàn
善 行，无 辙 迹；善 言，无 瑕 谪[1]；善

shǔ bú yòng chóu cè shàn bì wú guān jiàn ér bù kě
数，不 用 筹 策[2]；善 闭，无 关 楗[3] 而 不 可

kāi shàn jié wú shéng yuē ér bù kě jiě shì yǐ shèng rén
开；善 结，无 绳 约 而 不 可 解。是 以 圣 人

cháng shàn jiù rén gù wú qì rén cháng shàn jiù wù gù wú
常 善 救 人，故 无 弃 人；常 善 救 物，故 无

qì wù shì wèi xí míng gù shàn rén zhě bú shàn rén zhī
弃 物。是 谓 袭[4] 明。故 善 人 者，不 善 人 之

shī bú shàn rén zhě shàn rén zhī zī bú guì qí shī bú
师；不 善 人 者，善 人 之 资。不 贵 其 师，不

ài qí zī suī zhì dà mí shì wèi yào miào
爱 其 资，虽 智 大 迷，是 谓 要 妙。

【注释】

[1]瑕谪：缺点、毛病。

[2]筹策：古人计算工具。

[3]关楗：开锁器具。

[4]袭：掩藏。

【按】

本章的核心是注意记取反面教训。

【直译】

　　善于行路的，不留痕迹；善于说话的，挑不出毛病；善于计算的，不用筹策；善于关闭的，不用钥匙打不开；善于捆绑的，不用绳索却使人挣不脱。

　　所以，圣人常常善于挽救人，人人可用；圣人常常善于利用物力，物尽其用。这就叫做内藏聪明。要知道，善良的人是恶人应学习的榜样，恶人是善人可依凭的镜子，不爱惜这面镜子，再聪明也是糊涂的。这道理微妙而深刻。

【诗译】

　　　　　　自然万物各赋其形，
　　　　　　人间众生各有其能。
　　　　　　有人工巧，有人粗拙，
　　　　　　有人多谋，有人善行。

　　　　　　用人须要知人善任，
　　　　　　容短用长平等公正。
　　　　　　自然万物相映成趣，
　　　　　　人间众生相依共存。

　　　　　　贤达良善当为榜样，
　　　　　　见贤思齐勿负人生。
　　　　　　奸邪恶棍当以为戒，
　　　　　　警告自己警示后人。

五

（原第七章）

tiān cháng dì jiǔ tiān dì suǒ yǐ néng cháng qiě jiǔ
天 长 地 久，天 地 所 以 能 长 且 久

zhě yǐ qí bú zì shēng gù néng cháng shēng shì yǐ shèng
者，以 其 不 自 生，故 能 长 生。是 以 圣

rén hòu qí shēn ér shēn xiān wài qí shēn ér shēn cún fēi
人 后 其 身 而 身 先，外 其 身 而 身 存。非

yǐ qí wú sī yé gù néng chéng qí sī
以 其 无 私 邪？故 能 成 其 私。

【按】

本章从天地不自生而能长久的事实推论去私可成大器。

【直译】

天地的生命是多么长久！天地能长生久住的原因，是它不为自己而生存，因而能长存。所以，圣人把自己的位置摆在最后，反而居于前面，把自身的一切置之度外，反而得到保全。他因为无私欲，而能得到私利。

【诗译】

天地为何长生久存？

因为它不为自己生存。

圣人甘为天下的仆臣，

出乎意料地成了人君。

忘却自己造福众生，
身心健康远胜常人。
无私奉献忠心耿耿，
英名长在浩气长存。

六

（原第三十八章）

shàng dé bù dé　shì yǐ yǒu dé　xià dé bù shī dé
上 德 不 德，是 以 有 德。下 德 不 失 德，

shì yǐ wú dé　shàng dé wú wéi ér wú yǐ wéi　xià dé wéi
是 以 无 德。上 德 无 为 而 无 以 为，下 德 为

zhī ér yǒu yǐ wéi　shàng rén wéi zhī ér wú yǐ wéi　shàng yì
之 而 有 以 为。上 仁 为 之 而 无 以 为，上 义

wéi zhī ér yǒu yǐ wéi　shàng lǐ wéi zhī ér mò zhī yìng　zé
为 之 而 有 以 为。上 礼 为 之 而 莫 之 应，则

rǎng bì ér rēng zhī　gù shī dào ér hòu dé　shī dé ér hòu
攘 臂 而 扔 之。故 失 道 而 后 德，失 德 而 后

rén　shī rén ér hòu yì　shī yì ér hòu lǐ　fú lǐ zhě
仁，失 仁 而 后 义，失 义 而 后 礼。夫 礼 者，

zhōng xìn zhī bó ér luàn zhī shǒu　qián shí zhě　dào zhī huá ér
忠 信 之 薄 而 乱 之 首。前 识 者，道 之 华 而

yú zhī shǐ　shì yǐ dà zhàng fū chǔ qí hòu　bù jū qí bó
愚 之 始。是 以 大 丈 夫 处 其 厚，不 居 其 薄；

chǔ qí shí　bù jū qí huá　gù qù bǐ qǔ cǐ
处 其 实，不 居 其 华。故 去 彼 取 此。

【按】

本章从"德"的高低、演变论合道的重要性。

【直译】

上德不为德而造作，因此有德；下德处处顾虑到德，因此无德。上德无所表现，不以德为目的，下德刻意显示，以德为表现形式，上仁有所表现，但不以仁为目的而做作，上义既有所表现，又是以义为目的而做作的。至于礼，最好的礼举动出来，假如对方不以礼相应的话，就会发生拳脚交加的场面。

所以，失去道才有了德，失去德才有了仁，失去仁才有了义，失去义才有了礼。那礼节，忠与信都不足为凭，是祸乱之首。

那些先见之明，是道的虚华，愚昧的开端。

因此，大丈夫选择厚重抛弃轻薄，选择根本而不追求浮华。

【诗译】

最好的德性就是忘记德性，
盯牢了功德就是歪心。
最好的德性是自然平静，
勉强的造作功德无存。

最好的仁爱就是忘掉了仁爱，
自自然然无处不仁。
失去了仁爱才有了礼仪，
勉强约束犹绳索绑捆。

来而不往礼仪失信，
拳打脚踢怒目圆睁。
天下祸乱纷纷不平，
许多就是礼仪酿成。

丧失了大道有了德性，
丧失了德心才有了仁，
丧失了德性才有仁爱，
丧失了仁爱才有义气，
丧失了义气把礼节定。

失去了大道哪有良心？
礼节压不住狂暴的激情。
每况愈下是什么原因？
道之不存，人心难驯！

庄稼宜在厚土长成，
壮士应以厚道立身。
浮华的东西自欺欺人，
凭什么出卖人格道心？！

七

（原第二十三章）

xī yán zì rán gù piāo fēng bù zhōng zhāo zhòu yǔ
希 言 自 然。故 飘 风 不 终 朝，骤 雨

bù zhōng rì shú wéi cǐ zhě tiān dì tiān dì shàng bù néng
不 终 日。孰 为 此 者？天 地。天 地 尚 不 能

jiǔ ér kuàng yú rén hū gù cóng shì yú dào zhě dào zhě
久，而 况 于 人 乎？故 从 事 于 道 者，道 者

tóng yú dào dé zhě tóng yú dé shī zhě tóng yú shī tóng
同 于 道，德 者 同 于 德，失 者 同 于 失。同

yú dào zhě dào yì lè dé zhī tóng yú dé zhě dé yì lè
于 道 者，道 亦 乐 得 之；同 于 德 者，德 亦 乐

dé zhī tóng yú shī zhě shī yì lè dé zhī xìn bù zú yān
得 之；同 于 失 者，失 亦 乐 得 之。信 不 足，焉

yǒu bú xìn yān
有 不 信 焉。

【按】

本章从人生之短暂论从道之重要。

【直译】

少说废话才合乎自然。狂风吹不过一个上午，急雨不会下一整天。谁刮风下雨？天地。天地都不能这么长久维持大的动态，又何况人呢？

人在大道中，无处不修道。修道的就与道同化，重德的就有

德，追求失落烦恼就有失落烦恼。

与道同化，道就接受他；与德同化，德就接受他；与失落感同化，就加深失落烦恼。不足于信才有不信。

【诗译】

不要放纵地高谈阔论，

人生短暂，把握大好光阴！

天地的风雨也会歇停，

何况人生容易消殒。

世上的道路阡陌纵横，

任你选择任你走行，

不同的道路不同人生，

种瓜种豆各有所成。

合道就得到道的永恒，

求德就有德的纯真，

求失就有失落的折腾，

求功就有功业建成。

八

（原第四十四章）

míng yǔ shēn shú qīn　shēn yǔ huò shú duō　dé yǔ wáng
名 与 身 孰 亲？ 身 与 货 孰 多？ 得 与 亡

shú bìng　shì gù shèn ài bì dà fèi　duō cáng bì hòu wáng
孰 病？ 是 故 甚 爱 必 大 费， 多 藏 必 厚 亡。

zhī zú bù rǔ　zhī zhǐ bú dài　kě yǐ cháng jiǔ
知 足 不 辱， 知 止 不 殆， 可 以 长 久。

【按】

本章用对比力论贵身固本。

【直译】

虚荣与生命哪一个更可爱？身体与财富哪一个更有分量？得到与丧失哪一个更有害？

过分的吝啬必造成更大的浪费，丰盛的贮存必有重大的坏损，知道满足，就不会为贪欲招致屈辱，知道适可而止，可以不遇危险，可以长久保全。

【诗译】

虚荣与生命谁疏谁亲？

生命与财产谁重谁轻？

二者选一你要钱要命？

豪富令生命遭到破损，
贪欲使身心备受折腾。
你成了奴隶还是主人？

知足是一份宝贵的道心，
危险与屈辱不与它相邻。
你到底是欢乐还是愁闷？

九

（原第十三章）

chǒng rǔ ruò jīng guì dà huàn ruò shēn hé wèi chǒng
宠 辱 若 惊，贵 大 患 若 身。何 谓 宠

rǔ ruò jīng chǒng wéi xià dé zhī ruò jīng shī zhī ruò jīng
辱 若 惊？ 宠 ，为 下 得 之 若 惊， 失 之 若 惊，

shì wèi chǒng rǔ ruò jīng
是 谓 宠 辱 若 惊。

hé wéi guì dà huàn ruò shēn wú suǒ yǐ yǒu dà huàn
何 为 贵 大 患 若 身？吾 所 以 有 大 患

zhě wéi wú yǒu shēn jí wú wú shēn wú yǒu hé huàn gù
者，为 吾 有 身，及 吾 无 身，吾 有 何 患？故

guì yǐ shēn wéi tiān xià ruò kě jì tiān xià ài yǐ shēn wéi
贵 以 身 为 天 下， 若 可 寄 天 下；爱 以 身 为

tiān xià ruò kě tuō tiān xià
天 下， 若 可 托 天 下。

【按】

本章力论君子自重，贵身固本之理。

【直译】

有的人总是宠辱若惊，把别人的赞赏或贬斥看得比生命都重要！

分析一下宠辱若惊吧。等待受宠，就把自己摆低贱了，所以得宠就惊喜，失宠则惊恐。

别人的宠幸真比生命贵重吗？

人都以身为本，若身体不存，哪有什么追求所得呢？

只有把自身看得像天下一样贵重的，才可以担起天下重任；只有爱惜自己像爱惜天下一样的，才可以把天下重任交付给他。

君子自重君子固本。

【诗译】

受宠受辱，有人皆惊。
缘何把自己看得太轻？
低低贱贱，一些薄恩，
又有何必，感激涕零？

受宠受辱，有人皆惊，
缘何把自己看得太轻？
反反复复，一点爱憎，
又有何必，惊恐万分？

受宠受辱，有人皆惊，
缘何把自己看得太轻？
巴巴结结，利欲熏心，
此人脊梁，屈而不伸！

受宠受辱，不喜不惊，
自重的君子爱命惜身。
荣辱毁誉，过眼烟云，
任重道远，旁若无人！

145

十

（原第七十三章）

yǒng yú gǎn zé shā yǒng yú bù gǎn zé huó cǐ
勇 于 敢 ，则 杀 ； 勇 于 不 敢 ， 则 活 。 此
liǎng zhě huò lì huò hài tiān zhī suǒ wù shú zhī qí gù
两 者 或 利 或 害 。 天 之 所 恶 ， 孰 知 其 故 ？
shì yǐ shèng rén yóu nán zhī tiān zhī dào bù zhēng ér shàn
是 以 圣 人 犹 难 之 。 天 之 道 ， 不 争 而 善
shèng bù yán ér shàn yìng bú zhào ér zì lái chǎn rán
胜 ， 不 言 而 善 应 ， 不 召 而 自 来 ， 繟[1] 然
ér shàn móu tiān wǎng huī huī shū ér bù shī
而 善 谋 。 天 网 恢 恢 ， 疏 而 不 失 。

【注释】

[1]繟然：宽绰，舒缓，坦然的样子。

【按】

本章论勇与谋，从尚谋的角度论道。

【直译】

勇于做敢做的事，就会自蹈死地。勇于做不敢做的事，就能保全自己。两种勇敢产生利、害不同的结果。老天喜欢哪种勇敢呢？原因何在呢？恐怕连圣人都说不清楚。

从大道来看，天道是不争而善于取胜，不说话而善于回答，不

呼唤就使对方自己来，善于稳稳当当地谋划。天道像一张广大的
网，网孔虽稀疏，却不漏失过一星半点东西。

【诗译】

　　　　勇于做敢做的事是凭血性，
　　　　勇于做不敢做的事是凭道心。
　　　　血性之勇常招杀身之祸，
　　　　道心之勇使人远祸全身。

　　　　不争而胜不言而应，
　　　　道心之勇的妙处一言难尽！
　　　　周密地谋划细细权衡，
　　　　良计一出胜百万雄兵！

十一

（原第七十六章）

rén zhī shēng yě róu ruò　qí sǐ yě jiān qiáng　wàn wù
人 之 生 也 柔 弱，其 死 也 坚 强；万 物

cǎo mù zhī shēng yě róu cuì　qí sǐ yě kū gǎo　gù jiān qiáng
草 木 之 生 也 柔 脆，其 死 也 枯 槁。故 坚 强

zhě　sǐ zhī tú　róu ruò zhě　shēng zhī tú　shì yǐ bīng
者，死 之 徒；柔 弱 者， 生 之 徒。是 以 兵

qiáng zé bú shèng　mù qiáng zé bīng　qiáng dà chǔ xià　róu
强 则 不 胜， 木 强 则 兵， 强 大 处 下，柔

ruò chǔ shàng
弱 处 上 。

【按】

本章从生命存在状态论贵柔之理。

【直译】

活着的人肢体柔弱，死去的人身体僵硬，万物草木活着时柔弱，死去时枯硬。

所以，坚硬属于死亡，柔弱属于生存。你看：军队强大了被消灭，树长高了被摧折，坚强的倒下去，柔弱的向上发展。

【诗译】

活着的人是多么柔弱，
死去的人是多么僵硬；
活着的草木多么柔脆，
死去以后是多么枯硬！

坚强伴随着死亡，
柔弱意味着新生！

军队强大了招致灭亡，
树木强壮了斧锯加临。
极盛者江河日下，
柔弱者生命上升！

坚强伴随着死亡，
柔弱意味着新生！

十二

（原第二十四章）

qǐ zhě bú lì　kuà zhě bù xíng　zì xiàn zhě bù míng
企者不立，跨者不行，自见者不明，

zì shì zhě bù zhāng　zì fá zhě wú gōng　zì jīn zhě bù
自是者不彰，自伐[1]者无功，自矜者不

cháng　qí zài dào yě　yuē　yú shí zhuì xíng　wù huò wù
长。其在道也，曰：馀食[2]赘[3]行，物或恶

zhī　gù yǒu dào zhě bù chǔ
之，故有道者不处。

【注释】

[1]伐：夸耀。

[2]馀食：剩饭。

[3]赘：多余的。

【按】

本章批判浮华，劝勉人们踏实、自谦。

【直译】

踮起脚尖站立不稳当，大跨步走不远，一孔之见看不真切，自以为是就是非不分，自我夸耀的没有功劳，妄自尊大的不能服众。这些行为对修道的人来说，好比吃了剩饭负重远行，令人想起来都不是滋味，所以有道行的人不这样做。

【诗译】

踮起脚尖来站立不稳，
跨步而走无法远行，
一孔之见难知真相，
自以为是是非不分。

自我夸耀功之不存，
像吃了馊饭负重远行。
自高自大无人承认，
只会招致鄙视厌憎！

十三

（原第九章）

chí ér yíng zhī　bù rú qí yǐ　zhuī ér ruì zhī　bù
持 而 盈 之，不 如 其 已；揣 而 锐 之，不

kě cháng bǎo　jīn yù mǎn táng　mò zhī néng shǒu　fù guì ér
可 长 保；金 玉 满 堂，莫 之 能 守；富 贵 而

jiāo　zì yí qí jiù　gōng suí shēn tuì　tiān zhī dào
骄，自 遗 其 咎。功 遂 身 退，天 之 道。

【按】

本章以切实的譬喻阐述为而不恃、功成身退之理。

【直译】

双手抓满了东西，不如早点扔掉；把刀尖磨得锋利，不能经常保持。黄金美玉堆满屋子，没有谁守得住，有了富贵还要骄纵，是自寻灾祸。

完成功业就隐退，才是合乎自然。

【诗译】

双手把东西抓得丰盈，

不掉出来是怪事情。

刀尖儿磨得溜尖，

保准很快断损。

金玉堆满了客厅，
必然勾引贼心。

富贵了还要骄横，
无异引刀断颈！

功成赶快身退，
才是乐天知命！

十四

（原第七十八章）

tiān xià mò róu ruò yú shuǐ　　ér gōng jiān qiáng zhě
天 下 莫 柔 弱 于 水，而 攻 坚 强 者，

mò zhī néng shèng　　qí wú yǐ yì zhī　　ruò zhī shèng qiáng
莫 之 能 胜，其 无 以 易 之。弱 之 胜 强，

róu zhī shèng gāng　tiān xià mò bù zhī　　mò néng xíng　shì yǐ
柔 之 胜 刚，天 下 莫 不 知，莫 能 行。是 以

shèng rén yún　　shòu guó zhī gòu　　shì wèi shè jì zhǔ　　shòu guó
圣 人 云：受 国 之 垢，是 谓 社 稷 主；受 国

bù xiáng　　shì wéi tiān xià wáng　　zhèng yán ruò fǎn
不 祥，是 为 天 下 王。正 言 若 反。

【按】

　　本章以水为喻，阐释贵柔的道理。

【直译】

　　天下没有比水更柔弱的东西，可是用水来攻伐坚强的东西，没有什么能战胜它，世上没有什么能代替它。

　　确实，弱能胜强，柔能克刚，这个道理天下无人不知，可又无人能行。

　　先哲说，担待一国的屈辱，做得国君，承受一国的灾殃，做得君王。倒过去说也是一样的道理。

【诗译】

　　　　　天下柔弱莫过水性，

　　　　　克刚克强无往不胜。

　　　　　弱能胜强柔能克刚，

　　　　　事实如此道理分明。

　　　　　承受一国之辱可为国君，

　　　　　担起天下重担天下归顺。

　　　　　成就刚强须耐得住柔弱，

　　　　　这有趣的道理你要深省！

十五

（原第三十三章）

zhī rén zhě zhì   zì zhī zhě míng   shèng rén zhě yǒu
知 人 者 智，自 知 者 明。胜 人 者 有

lì   zì shèng zhě qiáng   zhī zú zhě fù   qiáng xíng zhě yǒu
力，自 胜 者 强。知 足 者 富，强 行 者 有

zhì   bù shī qí suǒ zhě jiǔ   sǐ ér bù wáng zhě shòu
志。不 失 其 所 者 久，死 而 不 亡 者 寿。

【按】

本章力论战胜自我，追求新我。

【直译】

能认识别人的可谓有智，能认识自己的才算聪明。能战胜别人的固然有力，能战胜自己的才是强者。

知道满足的人为富有，坚持前进者为有志者。不放弃根本的人保持长久，身死道存就是长寿。

【诗译】

能认识他人可谓有智，

能认识自己才叫聪明。

能战胜他人固然可贵，

能战胜自己才叫难得。

知足就是最大的富有，

顽强能使壮志砺行。

基础坚实，才能稳步上升。

身死道存，才能获得永恒。

十六

（原第七十一章）

zhī bù zhī shàng bù zhī zhī[1] bìng fú wéi bìng
知 不 知， 上； 不 知 知[1]， 病， 夫 惟 病

bìng[2] shì yǐ bú bìng shèng rén bú bìng yǐ qí bìng
病[2]， 是 以 不 病。 圣 人 不 病， 以 其 病

bìng shì yǐ bú bìng
病， 是 以 不 病。

【注释】

[1]不知知：以不知道为知。

[2]病病：把这种毛病当毛病。

【按】

常人"强不知以为知"者，无以数计。愈是无知，愈敢妄断。对道德学问尤甚。千古以来，未尝有变。老子作此章规劝世人：不知知病，笃实为人，可谓感慨良多！

【直译】

明白自己尚且无知，是好事；不明白自己尚且无知，是毛病。把这个毛病看作毛病，就没有毛病。圣人没有毛病，就是把这个毛病当作了毛病，因此杜绝了毛病。

【诗译】

知道自己无知本是清醒，

不懂的以为懂得才是庸昏。

杜绝了庸昏赢得清醒，

才有资格说保持理性。

圣人之所以称为圣人，

就因为保持了这种理性。

不懂的永远不要装懂，

胡言乱语岂不羞煞先人？

十七

（原第二十二章）

　　qū zé quán　wǎng zé zhí　wā zé yíng　bì zé xīn
曲 则 全， 枉 则 直， 洼 则 盈， 敝 则 新，

shǎo zé dé　duō zé huò　shì yǐ shèng rén bào yī wéi tiān
少 则 得， 多 则 惑。 是 以 圣 人 抱 一 为 天

xià shì
下 式。

　　bú zì xiàn　gù míng　bú zì shì　gù zhāng　bú zì
不 自 见， 故 明； 不 自 是， 故 彰； 不 自

fá　gù yǒu gōng　bú zì jīn　gù cháng　fú wéi bù zhēng
伐， 故 有 功； 不 自 矜， 故 长。 夫 唯 不 争，

gù tiān xià mò néng yǔ zhī zhēng　gǔ zhī suǒ wèi　qū zé
故 天 下 莫 能 与 之 争。 古 之 所 谓 “曲 则

quán　zhě　qǐ xū yán zāi　chéng quán ér guī zhī
全” 者， 岂 虚 言 哉？ 诚 全 而 归 之。

【按】

　　本章以丰富的譬喻力论"不争，守雌"之贵。

【直译】

　　委曲易于保全，屈枉可以伸直，低洼容易充盈，破旧可以翻新，每次少学一点知识可牢记，一下子学多了会令人迷惑。因此，圣人用道作为为人处世的根本。

　　不抱成见，不自以为是，因而洞明事体。不自我夸耀，因而

有功。不自高自大，因而能受拥戴。就因为他不争虚名，天下没人能与之抗衡。古人所说"委曲易于保全"之类的话，哪里是空谈，确实能成全人！

【诗译】

　　　　委曲反能保持完整，
　　　　弯曲反而能够直伸。
　　　　卑下反能获得充盈，
　　　　蔽旧反能变成崭新。

　　　　少的知识令人牢记，
　　　　太多就会把脑袋弄昏。
　　　　圣者的心思无需复杂，
　　　　安静合道反令天下平定。

　　　　不抱成见的观察才会清楚，
　　　　自以为非的判断耐得实证。
　　　　不自我夸耀功勋不灭，
　　　　不自高自大反受钦敬。

　　　　不争虚名才有铁骨铮铮，
　　　　天下没人能与之抗衡。
　　　　相反相成是道的规律，
　　　　古往今来成功的保证。

十八
（原第四十一章）

shàng shì wén dào　qín ér xíng zhī　zhōng shì wén dào
上 士 闻 道, 勤 而 行 之; 中 士 闻 道,

ruò cún ruò wáng　xià shì wén dào　dà xiào zhī　bú xiào bù
若 存 若 亡; 下 士 闻 道, 大 笑 之, 不 笑 不

zú yǐ wéi dào　gù jiàn yán[1] yǒu zhī　míng dào ruò mèi
足 以 为 道。故 建 言[1] 有 之:"明 道 若 昧,

jìn dào ruò tuì　yí dào ruò lèi　shàng dé ruò gǔ　dà bái
进 道 若 退, 夷 道 若 纇[2], 上 德 若 谷, 大 白

ruò rǔ　guǎng dé ruò bù zú　jiàn dé ruò tōu　zhì zhēn ruò
若 辱, 广 德 若 不 足, 建 德 若 偷[3], 质 真 若

yú[4]　dà fāng wú yú　dà qì wǎn chéng　dà yīn xī shēng
渝[4], 大 方 无 隅, 大 器 晚 成, 大 音 希 声,

dà xiàng wú xíng　dào yǐn wú míng　fú wéi dào　shàn dài
大 象 无 形。"道 隐 无 名, 夫 唯 道, 善 贷[5]

qiě chéng
且 成。

【注释】

[1]建言: 现成的谚语（从任继愈说）。

[2]纇: 缺点、毛病, 引申为不平坦。

[3]偷: 懈怠。

[4]渝: 改变。

[5]贷: 帮助。

【按】

　　本章是对当时的士民对老子思想的态度而发，可见弘道之艰，自古而然。

【直译】

　　贤士听闻道德学说，恭勤力行；常人闻道，心里留下一点点印象；庸人闻道，狂笑而去，不笑反倒是怪事。

　　君不闻："光明的道反显幽暗，循大道前进看上去却在后退，平坦的道看去却崎岖不平，最大的德似有缺憾，刚健的德像是松软，质朴纯真似难以坚守，最大的方正看不见边角，大的器皿最后做成。声音太尖就听不见，最大的形象视而不清。"但我相信，幽隐无名的道会时常帮助那些走向成功的人们。

【诗译】

　　　　　贤士闻道勤勉恭行，

　　　　　常人闻道充耳不闻，

　　　　　庸人闻道狂笑而去，

　　　　　若非轻狂哪来愚蠢？

　　　　　道，暗淡中容涵光明，

　　　　　消退中疾走奋进，

　　　　　崎岖中找到捷径，

　　　　　这些都是古人的明训。

　　　　　虚怀若谷是合道的德性，

忍受暗昧才能大放光明。
自以为非是真正的贤达，
谨慎小心方有刚健平稳。

璞玉看去不及顽石坚硬，
没有棱角更可保持方正。
大器晚成，大音希声，
最大的形象反而无形。

视之不见，搏之不得，听之不闻，
成就功业的大道常幽隐无名。

十九

（原第二十八章）

zhī qí xióng　shǒu qí cí　wéi tiān xià xī　　wéi tiān
知 其 雄 ， 守 其 雌 ， 为 天 下 豁[1]。 为 天

xià xī　cháng dé bù lí　fù guī yú yīng ér　zhī qí bái
下 豁 ， 常 德 不 离 ， 复 归 于 婴 儿 。 知 其 白 ，

shǒu qí hēi　wéi tiān xià shì　　wéi tiān xià shì　cháng dé bú
守 其 黑 ， 为 天 下 式[2]。 为 天 下 式 ， 常 德 不

tè　fù guī yú wú jí　zhī qí róng　shǒu qí rǔ　wéi tiān
忒 ， 复 归 于 无 极 。 知 其 荣 ， 守 其 辱 ， 为 天

xià gǔ　wéi tiān xià gǔ　cháng dé nǎi zú　fù guī yú pǔ
下 谷 。 为 天 下 谷 ， 常 德 乃 足 ， 复 归 于 朴 。

pǔ sàn zé wéi qì　shèng rén yòng zhī　zé wéi guān zhǎng　gù
朴 散 则 为 器 ， 圣 人 用 之 ， 则 为 官 长 。 故

dà zhì bù gē
大 制 不 割[3]。

【注释】

[1]豁：河沟溪流。

[2]式：古代占卜用的器皿。

[3]割：勉强。

【按】

本章着重论述修道与为人处世的原则。

【直译】

想要达到雄健，必须静守柔弱，甘当天下的蓄水沟。让当蓄水沟的心境常在，回归到婴儿一般莫知所之。

想要追求光明，必须安于黑暗。甘当"式"一样昏黑的器皿，长此以往，德性圆满，可以使自己的心胸无限广阔、光明。

想要获得荣耀，必须耐得屈辱。甘当天下的河谷，长此以往，德性充足，归于朴一样坚固。朴一旦被人认识，就会被取用，成为可靠的管理人才，好的统治者是不会勉强用人的。

【诗译】

你可以立下壮志雄心，
但必须保持处子般的安静。
就好比低洼的山谷聚集水流，
安静，正好积累前进的动能。

常常使自己情安心定，
你会归于婴儿般生意欣欣！

你可以追求光耀聪明，
但必须潜入暗昧混沌。
就好比昏昏的占卜器皿，
暗昧，正好产生神圣的光明。

常常使自己情安心定，
你会得到光明纯正！

你可以追求高贵富有，
但必须忍耐卑贱贫困。
就好比空谷静默无闻，
静穆中充盈的机缘自然来临！

常常使自己情安心定，
你会像璞玉般充实完整！

见到了璞玉人人高兴，
前景自然是如意称心。
明君就喜爱真正的人才，
何患过去的忍垢蒙尘。

常常使自己情安心定，
你会获得理想的前程！

四、安邦治国之道

弘道篇·致君王

把小鱼放在油锅里烹，
这里有治理大国的学问：
事在人为，不可轻心，
鬼神无助，天地不仁！

《弘道篇·致君王》是老子针对当时的国君、侯王们说的话。
有规劝，有抨击，有引导，有勉励，有复杂的感情……回看现
实，你会感到老子仿佛是生活在我们之中。

⊙弘道篇·致君王（二十八章）

一

（原第三十五章）

zhí dà xiàng　tiān xià wǎng　wǎng ér bú hài　ān píng
执大象[1]，天下往。往而不害，安平

tài　yuè yǔ ěr　guò kè zhǐ　dào zhī chū kǒu　dàn hū qí
太。乐与饵[2]，过客止。道之出口，淡乎其

wú wèi　shì zhī bù zú jiàn　tīng zhī bù zú wén　yòng zhī bù
无味，视之不足见，听之不足闻，用之不

zú jì
足既。

【注释】

[1]大象：即大像，即道。

[2]饵：食物。

【按】

本章用比较方法论道的特征。

【直译】

谁掌握了道，天下百姓就会向他投靠。人们在那里没有祸害，过着平安快乐的生活。用音乐和美食，可以款留过客。道经口中说出，就淡而无味了。道没有形象，没有声音，但取用不尽。

【诗译】

道，没有形象，没有声音，
孕育真理，长养众生。

得道的君王就会拥有天下，
循道的政治会使天下太平。

琴声悠悠会吸引路人，
美食丰盛可款待来宾。

道，孕育真理，长养众生，
它没有形象，没有声音。

二

（原第十九章）

jué shèng qì zhì mín lì bǎi bèi jué rén qì yì mín
绝 圣 弃 智，民 利 百 倍；绝 仁 弃 义，民
fù xiào cí jué qiǎo qì lì dào zéi wú yǒu cǐ sān zhě yǐ
复 孝 慈；绝 巧 弃 利，盗 贼 无 有。此 三 者 以
wéi wén bù zú gù lìng yǒu suǒ shǔ xiàn sù bào pǔ shǎo sī
为 文 不 足，故 令 有 所 属。见 素 抱 朴，少 私
guǎ yù
寡 欲。

【按】

本章是建议君王"无为而无不为"的具体纲领。

【直译】

断除私欲放弃专横，百姓自然会增加百倍的利益。抛弃了仁和义，百姓才有自然慈爱孝顺。不提倡工巧和富有，可使盗贼不生。这三方面如果不足以治国，可以命令自己的百姓静心修道，清心寡欲。

【诗译】

断除了私欲放弃专横，

天下的财富就会倍增。

仁义不再作为最高德性，

天下才有慈爱孝敬。

大大降低财富的地位，
世上才没有盗贼产生。
总之要让人少私寡欲，
沉浸于修道才会清静。

三

（原第八章）

shàng shàn ruò shuǐ　shuǐ shàn lì wàn wù ér bù zhēng
上 善若水， 水 善 利 万 物 而 不 争，

chǔ zhòng rén zhī suǒ wù　gù jī[1] yú dào　jū shàn dì　xīn
处 众 人 之 所 恶， 故 几[1] 于 道。 居 善 地， 心

shàn yuān　yǔ shàn rén　yán shàn xìn　zhèng[2] shàn zhì　shì
善 渊， 与 善 仁， 言 善 信， 正[2] 善 治， 事

shàn néng　dòng shàn shí　fú wéi bù zhēng　gù wú yóu
善 能， 动 善 时， 夫 唯 不 争， 故 无 尤。

【注释】

[1]几：接近。

[2]正：同"政"。

【按】

本章劝诫君王柔静执政。

【直译】

最好的善像水一般。水善于养育万物而不争当主子，它处于众
所厌恶的卑污之地，这一特征与道相近。

圣人就当如此。自居，要像水一样谦卑；善心，要像水一样
深沉；付出时，要像水一样仁爱；宣言时，要像水一样守信；施
政，要像水一样有条理；行事，要像水一样有能；动作，要像水

一样抓紧时机，像水一样不争虚名就没有过失。

【诗译】

最好的善像水样柔顺，
潜滋万物不执不争。
污沼可泊江河可行，
与道冥合默默无声。

自居，何妨水样卑下；
养心，要像水样深沉；
付出，要像水样平正；
宣言，要像水样有信；
施政，要像水样有能；
动作，要像水样应机而行！

水，滋养万物不执不争，
污沼可泊江河可行，
与道冥合默默无声，
默默无声里成就道行！

四

（原第二十六章）

zhòng wéi qīng gēn　jìng wéi zào jūn　shì yǐ shèng rén zhōng
重 为 轻 根，静 为 躁 君。是 以 圣 人 终

rì xíng bù lí zī zhòng　suī yǒu róng guàn　yàn chǔ　chāo
日 行 不 离 辎 重[1]，虽 有 荣 观[2]，燕 处[3] 超

rán　nài hé wàn shèng zhī zhǔ ér yǐ shēn qīng tiān xià　qīng
然[4]，奈 何 万 乘 之 主 而 以 身 轻 天 下？轻

zé shī běn　zào zé shī jūn
则 失 本，躁 则 失 君。

【注释】

[1]辎重：行军时带的粮食、装备等物品。

[2]荣观：古代贵族游玩。

[3]燕处：贵族日常生活享受。

[4]超然：超越，不沉陷其中的样子。

【按】

本章从哲学和生活实际两方面劝诫君王自重、持重。

【直译】

沉重是轻逸的根本，宁静是浮躁的主宰，所以圣人不论走多远，都要带上沉重的必需品，不论荣观多么美妙，燕处多么奢华，他的心却不见沉湎其中，想着国家大事。

为什么有些大国君主追求轻逸的生活享受置天下于不顾呢？轻逸了就失去根本，浮躁了使人庸昏。

【诗译】

　　　　　沉重可以控制轻逸，

　　　　　宁静可镇住浮躁的心。

　　　　　尽管明君的生活繁华，

　　　　　他却带着沉重的志向前行。

　　　　　为什么有些大国的君主，

　　　　　沉湎享乐国乱民愤？

　　　　　轻逸失去根柢，

　　　　　浮躁使人发昏。

五

（原第三十章）

yǐ dào zuǒ rén zhǔ zhě　bù yǐ bīng qiáng tiān xià　qí
以 道 佐 人 主 者， 不 以 兵 强 天 下， 其

shì hào hái　shī zhī suǒ chù　jīng jí shēng yān　dà jūn zhī
事 好 还。 师 之 所 处， 荆 棘 生 焉， 大 军 之

hòu　bì yǒu xiōng nián　shàn yǒu guǒ ér yǐ　bù gǎn yǐ qǔ
后， 必 有 凶 年。 善 有 果 而 已， 不 敢 以 取

qiáng　guǒ ér wù jīn　guǒ ér wù fá　guǒ ér wù jiāo　guǒ
强。 果 而 勿 矜， 果 而 勿 伐， 果 而 勿 骄， 果

ér bù dé yǐ　guǒ ér wù qiáng　wù zhuàng zé lǎo　shì wèi
而 不 得 已， 果 而 勿 强， 物 壮 则 老， 是 谓

bú dào　bú dào zǎo yǐ
不 道， 不 道 早 已。

【按】

　　当时君王之有为，除设"荣观"、享"燕处"、修"宫庭"等之外，发动战争乃是最大之"有为"，老子专门就此分析，劝诫君王"慎战"。

【直译】

　　用"道"来辅佐国君的，不用武力在天下逞强，打仗这种事，报应快得很！战事所及，一片荒芜，大军过后，必有凶年。因此，打仗往往是见好就收，不敢恣意逞强。

以道辅佐君王，使他成功，但成功后切忌自高自大，自我夸耀，骄纵自得。成功了也不能停止不前，要寻找新的前进方向、道路。

【诗译】

以道佐人主兵不血刃，
举兵取胜飞快报应：
大军之后必有凶年，
战事所及，荆棘丛生。

焦土一片胜而何益？
忙忙匆匆回师收兵。
仗恃豪强君临天下，
不如仁爱风传美名。

循道成功不要自矜，
戒骄戒躁蓄锐养精，
自高自大登临绝顶，
万丈深渊难以逢生！

六
（原第四十六章）

tiān xià yǒu dào　què zǒu mǎ yǐ fèn　　tiān xià wú dào
天 下 有 道，却 走 马 以 粪[1]；天 下 无 道，

róng mǎ shēng yú jiāo　huò mò dà yú bù zhī zú　jiù mò dà
戎 马 生 于 郊。祸 莫 大 于 不 知 足，咎 莫 大

yú yù dé　　gù zhī zú zhī zú　　cháng zú yǐ
于 欲 得。故 知 足 之 足，常 足 矣。

【注释】

[1]粪：种田。

【按】

本章以两幅图景作对比，规劝君王慎战、无为。

【直译】

天下在和平年代里，战马用于种田。天下战祸纷起时，怀孕的战马产驹于疆场。灾祸，没有比不知足更大。罪恶，没有比贪欲更重。知道满足的满足感，使人常常满足。

【诗译】

和平年代里，

战马在农田耕耘。

战争年代里，
临盆母马也要从军。

祸患莫大于贪欲，
罪恶莫大于野心！

君王知足的满足，
会给天下带来升平！

七

（原第二十九章）

jiāng yù qǔ tiān xià ér wéi zhī wú jiàn qí bù dé
将 欲 取 天 下 而 为 之，吾 见 其 不 得

yǐ[1] tiān xià shén qì bù kě wéi yě wéi zhě bài zhī
已[1]。天 下 神 器[2]，不 可 为 也。为 者 败 之，

zhí zhě shī zhī gù wù huò xíng huò suí huò xū huò chuī huò
执 者 失 之。故 物 或 行 或 随，或 歔 或 吹，或

qiáng huò léi huò cuò huò huī shì yǐ shèng rén qù shèn
强 或 羸[3]，或 挫 或 隳[4]，是 以 圣 人 去 甚，

qù shē qù tài
去 奢，去 泰。

【注释】

[1]不得已：不能达到。

[2]神器：指周王室之鼎，天子权力的象征。

[3]羸：瘦弱。

[4]隳：毁坏。

【按】

本章忠告侯王不要发动战争夺取天下，去甚、去奢、去泰。

【直译】

　　谁想发动战争夺取天下，我看他达不到目的。天下的大权，不是好夺好受的。想夺取的，一个又一个失败了。掌着大权的，又一个个因无道而失去权柄。一切事物本来就是有前有后，有急有缓，有强有弱，有败有毁，何必多事呢？圣人就应当力保自己，这就要去掉那些极端的、奢侈的、过分的东西。

【诗译】

　　　　问鼎天下，勃勃野心。
　　　　我敢断定他不能得逞！
　　　　仗恃强盛，粗野蛮横，
　　　　我断定此君头脑发昏！

　　　　执掌天下，美梦当真，
　　　　有多少侯王折头断颈？
　　　　执掌天下，美梦成真，
　　　　无道的天子惨失权柄！

　　　　万物有恒何劳费心？
　　　　强夺的天下根基不稳。
　　　　放纵贪欲终成惨剧，
　　　　不如守一颗平淡道心。

八

（原第四十九章）

shèng rén wú cháng xīn　yǐ bǎi xìng xīn wéi xīn　shàn
圣 人 无 常 心，以 百 姓 心 为 心。善

zhě　wú shàn zhī　bú shàn zhě　wú yì shàn zhī　dé shàn
者，吾 善 之；不 善 者，吾 亦 善 之，德 善。

xìn zhě　wú xìn zhī　bú xìn zhě　wú yì xìn zhī　dé xìn
信 者，吾 信 之；不 信 者，吾 亦 信 之，德 信。

shèng rén zài tiān xià xī xī　wéi tiān xià hún qí xīn　shèng
圣 人 在 天 下 歙 歙[1]，为 天 下 浑 其 心，圣

rén jiē hái zhī
人 皆 孩 之。

【注释】

[1]歙歙：谐和。

【按】

本章是对"不敢为天下先"的具体阐释。

【直译】

圣人没有顽固不变的意愿，他以百姓的意愿为自己的愿望。合适的就好好办理，不大合适的也好好对待。圣人这种心性才叫好的心性。百姓心愿中切实可行的就办，不大切实的也好好对待，圣人这种心志才切实可行。

圣人居于天下，使百姓们都和和谐谐，混混沌沌，使他们像小

孩一般听话。

【诗译 】

　　　　圣明的君主绝不一意孤行，
　　　　他的意愿追随着百姓：
　　　　合理的愿望就尽量满足，
　　　　难以满足的就好好思忖。

　　　　这样的君主才是明君，
　　　　这样的作为才合道心。

　　　　圣明的君主绝不一意孤行，
　　　　他的意愿追随着百姓：
　　　　可行的事功就尽力实行，
　　　　难以实行的就好好思忖。

　　　　这样的君王才是明君。
　　　　这样的作为才合道心。

　　　　圣明的君主绝不一意孤行，
　　　　他的意愿追随着百姓：
　　　　无为的政治使民心敦厚，
　　　　像婴孩一样的朴素纯真。

　　　　这样的君王才是明君。
　　　　这样的行为才合道心。

九

（原第三章）

bú shàng xián　shǐ mín bù zhēng　bú guì nán dé zhī
不 尚 贤，使 民 不 争；不 贵 难 得 之
huò　shǐ mín bù wéi dào　bú xiàn kě yù　shǐ mín xīn bú
货，使 民 不 为 盗；不 见 可 欲，使 民 心 不
luàn　shì yǐ shèng rén zhī zhì　xū qí xīn　shí qí fù　ruò
乱。是 以 圣 人 之 治，虚 其 心，实 其 腹；弱
qí zhì　qiáng qí gǔ　cháng shǐ mín wú zhī wú yù　shǐ fú
其 志，强 其 骨，常 使 民 无 知 无 欲，使 夫
zhì zhě bù gǎn wéi yě　wéi wú wéi　zé wú bú zhì
智 者 不 敢 为 也。为 无 为，则 无 不 治。

【按】

本章陈述"使民无知无欲"的己见，是"无为"的另一种发挥。全书多处提及"使民不为盗"，可想见当时民不聊生，古风不存，盗贼蜂起的情景。

【直译】

不起用有贤能的平民，使百姓安于本分，不以稀有财宝为贵，使百姓不偷盗。不让勾人欲望的东西面世，使民心不乱。以此，圣人的统治，是使百姓的心境淡泊，勤事农桑，不生妄想，强国固本。

常常使百姓心无旁骛，也不乱想，使那些脑袋灵的也不敢乱

来。以无为的方法，就没有不能治理的。

【诗译】

平民不以贤能走马上任，
他们就会守住本分。
国君不激赏稀有商品，
民众就不会产生盗心。

欲望，难填的沟壑。
无欲，使祸乱不生。

让他们丰衣足食敦厚单纯，
让他们无所居心勤事农耕，
让他们无知无欲不敢妄为，
这天下就可以享受太平。

治人，要统御民心。
治心，以无为为本。

十

（原第七十五章）

mín zhī jī   yǐ qí shàng shí shuì zhī duō   shì yǐ jī
民 之 饥，以 其 上 食 税 之 多，是 以 饥。

mín zhī nán zhì   yǐ qí shàng zhī yǒu wéi   shì yǐ nán zhì
民 之 难 治，以 其 上 之 有 为，是 以 难 治。

mín zhī qīng sǐ   yǐ qí shàng qiú shēng zhī hòu   shì yǐ qīng
民 之 轻 死，以 其 上 求 生 之 厚，是 以 轻

sǐ   fú wéi wú yǐ shēng wéi zhě   shì xián yú guì shēng
死。夫 唯 无 以 生 为 者，是 贤 于 贵 生 。

【按】

本章直斥君王穷奢极欲的"有为"，是造成天下大乱的根本原
因。

【直译】

民众陷入饥荒，是因为君王吞食租税太多。百姓难以活命，是
因为国君恣意妄行。民众不要命，是因为国君穷奢极欲。

所以不追求奢华的统治者，比追求奢华享乐的统治者明智。

【诗译】

百姓之所以陷入饥馑，

是因为苛捐杂税纷纷。

百姓之所以难以驾凌，
是因为君王一意孤行。

百姓之所以冒死轻生，
是因为君王勒索太紧。

贤明的君王不为享乐，
苦苦地逼迫平民百姓！

十一

（原第七十二章）

民 不 畏 威，则 大 威 至。无 狎[1] 其 所 居，
无 厌 其 所 生[2]。夫 唯 不 厌，是 以 不 厌。是
以 圣 人，自 知 不 自 见[3]，自 爱 不 自 贵。故
去 彼 取 此。

【注释】

[1]狎：逼迫、压迫。

[2]厌：通"压"。

[3]见：同"现"，表现，这里引申为"显耀"。

【按】

本章从反面警告君王应以无为为本。

【直译】

百姓一旦不怕权威，那么可怕的威胁就来了，因此，不可逼得人民无法安居，不要压得人民无法生存。只有不压迫人民，人民才不会感到压迫。所以，圣明的君主，但求自知不求自己显耀，但求自己珍重而不自以为高贵无比。

因此，圣人舍弃显耀、高贵，留取自知、自重。

【诗译】

有一天百姓不怕淫威，
可怕的事情就要发生。

你看流离失所的平民，
离乡背井是什么心情？
你看那朝不保夕的平民，
饥寒中难免穷则思横？

有一天百姓不怕淫威，
可怕的事情就要发生。

君王你不要一意孤行，
自己的享乐要有止境。
百姓的生死就算不论，
水上的船舟要讲重轻。

有一天百姓不怕淫威，
可怕的事情就要发生！

十二

（原第七十四章）

mín bú wèi sǐ　nài hé yǐ sǐ jù zhī　ruò shǐ mín cháng
民 不 畏 死，奈 何 以 死 惧 之？若 使 民 常

wèi sǐ　ér wéi qí　zhě　wú　dé zhí ér shā zhī　shú gǎn
畏 死，而 为 奇[1] 者，吾[2] 得 执 而 杀 之。孰 敢？

cháng yǒu sī　shā zhě shā　fú dài sī shā zhě shā　shì wèi dài
常 有 司[3] 杀 者 杀。夫 代 司 杀 者 杀，是 谓 代

dà jiàng zhuó　fú dài dà jiàng zhuó zhě　xī yǒu bù shāng qí
大 匠 斫[4]。夫 代 大 匠 斫 者，希 有 不 伤 其

shǒu yǐ
手 矣。

【注释】

[1]奇：反常。

[2]吾：我们。以商量口气与统治者说话，不能认为指作者自己。

[3]有司：各有所司的官府、官吏。

[4]大匠：木匠。斫：用斧头砍木头。

【按】

本章极劝君王避免引起民暴，以免镇压百姓、失去民心。

【直译】

如果百姓怕死，对那些违反王法的，我们可以把他们抓住杀

掉,那么,谁敢犯法?平常是执法的官吏杀人,杀人的名分与君
王无关。非常时候,法律不灵了,得用军队镇压百姓,这就要国
君出面了,好比一个不会使斧子的人代替木匠砍木头,哪有不伤
手的啊!

【诗译】

百姓一旦冒死求生,

死亡的警告就置若罔闻;

百姓一旦冒死求生,

天下就会是动乱纷纷!

百姓如果是怕死惜身,

苛严的刑律可强压恶行;

百姓如果是怕死求生,

天下就会是太平宁静。

太平的日子刑律横亘,

自有官吏依法治人。

杀多杀少都没有关系,

君王的身上不染荤腥。

纷乱的年代有法难循,

国王得亲自遣将调兵。

就像君王代替了木匠,

挥斧砍斫时难免自损。

十三

（原第六十六章）

jiāng hǎi suǒ yǐ néng wéi bǎi gǔ wáng zhě yǐ qí shàn
江 海 所 以 能 为 百 谷 王 者，以 其 善

xià zhī gù néng wéi bǎi gǔ wáng shì yǐ yù shàng mín
下 之，故 能 为 百 谷 王。是 以 欲 上 民，

bì yǐ yán xià zhī yù xiān mín bì yǐ shēn hòu zhī shì yǐ
必 以 言 下 之；欲 先 民，必 以 身 后 之。是 以

shèng rén chǔ shàng ér mín bú zhòng chǔ qián ér mín bú hài
圣 人 处 上 而 民 不 重，处 前 而 民 不 害。

shì yǐ tiān xià lè tuī ér bú yàn yǐ qí bù zhēng gù tiān
是 以 天 下 乐 推 而 不 厌。以 其 不 争，故 天

xià mò néng yǔ zhī zhēng
下 莫 能 与 之 争。

【按】

本章具体阐释用道的柔顺原理治国安民。

【直译】

江海能成为百川之王的原因，在于它善于把自己摆在卑下的位置，顺承了一切河流的历程。

因此，要站在人民头上，一定要拿话来使自己显得顺从、谦卑，要站在人民的前头当领袖，一定要身体力行地在人民后面追随他们。

像这样当君王，在人民头上，人民不会感到压迫的沉重；引导人民前进，不会把百姓带进灾难之中，天下百姓都会高高兴兴地推崇他，完全信赖他。

　　这样用不争名位的方法，使天下没有人能和他争夺。

【诗译】

江海何以让百川归顺?
因为它顺承了百川的历程。
君王要领导天下百姓，
首先得顺乎民愿民情。

要对人民发号施令，
先要倾听民众的呼声。
要对人民指手画脚，
先要了解民众的动静。

圣明的决定不是恣意妄行，
它来自大势所趋的民心。
圣明的君主为民众拥戴，
人民跟着他无怨无恨!

十四

（原第六十五章）

gǔ zhī shàn wéi dào zhě　fēi yǐ míng mín　jiāng yǐ yú
古 之 善 为 道 者， 非 以 明 民， 将 以 愚

zhī　mín zhī nán zhì　yǐ qí zhì duō　gù yǐ zhì zhì guó
之。 民 之 难 治， 以 其 智 多。 故 以 智 治 国，

guó zhī zéi　　bù yǐ zhì zhì guó　guó zhī fú　zhī cǐ liǎng
国 之 贼[1]； 不 以 智 治 国， 国 之 福。 知 此 两

zhě yì jī shì　　cháng zhī jī shì　shì wèi xuán dé　xuán dé
者 亦 稽 式[2]。 常 知 稽 式， 是 谓 玄 德。 玄 德

shēn yǐ　yuǎn yǐ　yǔ wù fǎn yǐ　rán hòu nǎi zhì dà shùn
深 矣， 远 矣， 与 物 反 矣， 然 后 乃 至 大 顺。

【注释】

[1]贼：伤害，祸害。

[2]稽式：法则。

【按】

本章强调治民以治心为本。

【直译】

古代善于用道治国安民的，不是使百姓聪明，而是使他们愚
蠢。

民众难治的原因，在于他们心眼多，所以用启迪智慧治国，危

害国家。以愚民方法治国，造福国家，认识这两条是一个原则。

永远明白这个原则，就知道什么是"玄妙"了。玄妙的德性又深又远，与具体事物特性相反，把握住，可使天下大顺。

【诗译】

古代的统治有章可循：
使人愚钝，少动脑筋。
脑瓜灵敏，容易纷争。
不如以道使民清心。

古代的统治原有明训：
使民聪颖，国家不宁，
使民愚钝，福乐长存。
应当以道来使民安静。

十五

（原第七十九章）

hé dà yuàn　bì yǒu yú yuàn　ān kě yǐ wéi shàn　shì
和 大 怨，必 有 馀 怨，安 可 以 为 善？是

yǐ shèng rén zhí zuǒ qì[1]　ér bù zé yú rén　yǒu dé sī qì
以 圣 人 执 左 契[1] 而 不 责 于 人。有 德 司 契，

wú dé sī chè　tiān dào wú qīn　cháng yǔ shàn rén
无 德 司 彻[2]。天 道 无 亲，常 与 善 人。

【注释】

[1]左契：借据存根。

[2]司彻：收账的人。

【按】

本章宗旨似乎是"天道无亲，常与善人"，但文字游移飘忽，不好把握，从前后联系看，是暗示君王把恶事拿给别人去做，自己落个不沾边，与七十四章结尾部分内容相联系，可谓告诫君王"隐恶存善"。

【直译】

哪怕是和解了大的怨恨，也必有余怨未消。身陷是非哪里有干净的？所以圣人处事，总是要避嫌，不直接使人不快，让那些凶神恶煞的人去得罪人。

天道对人无所偏私，就是在这样的问题上，善人还不是可以脱得了干系。

【诗译】

　　　　了结了大的怨恨，
　　　　必有余怨犹存，
　　　　慈善的形象总是破损。
　　　　圣明的君主只留存根，
　　　　收账逼债另找他人，
　　　　总得使人君留下美名。

　　　　天道对人君并非垂青，
　　　　隐恶存善的方法自己去寻。

十六

（原第十七章）

tài shàng xià zhī yǒu zhī qí cì qīn ér yù zhī qí
太　上，下　知　有　之，其　次　亲　而　誉　之，其

cì wèi zhī qí cì wǔ zhī xìn bù zú yān yǒu bú xìn yān
次　畏　之，其　次　侮　之，信　不　足，焉　有　不　信　焉！

yōu xī qí guì yán gōng chéng shì suì bǎi xìng jiē wèi wǒ
悠　兮，其　贵　言，功　成　事　遂，百　姓　皆　谓　我

zì rán
自　然。

【按】

本章以百姓为鉴，衡量君主，从一个侧面阐明"无为"之益。

【直译】

最好的君王，百姓几乎不知道他存在；其次的君王，人们亲近他、赞美他；再次的君王，人们畏惧他；最差的君王，人们辱没他、诅咒他。君王不值得信赖，人们才不会信赖他，最好的君王悠闲得很，难得发号施令，事功完成了，百姓都说："我们本来就是这个样子。"

【诗译】

最好的君王无为宁静，

不求功名天下自正。

其次的君王善为功勋，
人们对他赞誉亲近。

再次的君王威风凛凛，
人们对他战战兢兢。
最次的君王恶贯满盈，
人们对他诅咒声声！

亲疏爱憎怪不得百姓，
不足为信才有不信。
最好的君王活得舒心，
合乎自然顺乎民心。

十七

（原第五十八章）

其 政 闷 闷，其 民 淳 淳[1]。其 政 察
察[2]，其 民 缺 缺[3]。祸 兮，福 之 所 倚；福 兮，
祸 之 所 伏。孰 知 其 极？其 无 正。正 复 为
奇，善 复 为 妖，人 之 迷，其 日 固 久。是 以
圣 人，方 而 不 割，廉 而 不 刿[4]，直 而 不
肆[5]，光 而 不 耀。

【注释】

[1]淳淳：宽厚、忠厚。

[2]察察：严密、苛酷。

[3]缺缺：不满意。

[4]刿：划伤。

[5]肆：放纵。

【按】

本章从相反相成的辩证观论政治，暗示统治者不要沉湎享乐，

伤害百姓。要做到政治宽宏。

【直译】

政治宽宏，老百姓就忠厚老实。政治苛酷，老百姓就怨声载道。灾祸啊，福乐所倚靠的。福乐啊，是灾祸潜伏之地。——谁知道什么时候谁转化成了谁呢。祸福无人主宰，随时可以反常，善良之辈也可很快转化为凶恶之徒。

人们迷惑得太久了，很难理解这些道理。

由此可见，圣人应当是方正而不显得造作，有个性而不伤害百姓，勇往直前而不胡作非为，明亮而不过分耀眼。

【诗译】

> 君王的统治宽松清静，
> 民风就会朴实清淳，
> 放纵享乐勒索百姓，
> 人民就对他怨怒有声。
>
> 祸兮，福所依；福兮，祸所伏，
> 尽享洪福实在危险得很！
>
> 人心本来无所恒定，
> 见异思迁依赖于环境，
> 善可为恶邪亦能正，
> 端看你政治是浊是清。
>
> 祸兮，福所依；福兮，祸所伏，

尽享洪福实在危险得很！

圣人的统治格外小心，
生怕过多地伤害百姓，
不敢放肆，不敢骄奢，
总得让政局平平稳稳。

祸兮，福所依；福兮，祸所伏，
尽享洪福实在危险得很！

十八

（原第五十九章）

zhì rén　shì tiān　mò ruò sè　fú wéi sè　shì wèi
治人，事天，莫若啬。夫唯啬，是谓

zǎo fú　zǎo fú wèi zhī chóng jī dé　chóng jī dé zé wú
早服。早服谓之重积德；重积德则无

bú kè　wú bú kè zé mò zhī qí jí　mò zhī qí jí kě
不克；无不克则莫知其极。莫知其极，可

yǐ yǒu guó　yǒu guó zhī mǔ　kě yǐ cháng jiǔ　shì wèi shēn
以有国；有国之母，可以长久。是谓深

gēn　gù dǐ　cháng shēng　jiǔ shì zhī dào
根、固柢、长生、久视之道。

【按】

本章阐述节俭之德。

【直译】

统治百姓，事奉天，没有比节俭更重要的了。节俭，是早做准备，预防不时之需。早做准备，就是平时节俭。注意节俭就会无往不胜，无往不胜才会兴旺发达，兴旺发达才会保全国家。总之，节俭是保全国家，使国运长久昌盛的根本。这就是统治国家的、使根柢牢固的长生久视之道。

【诗译】

　　　　要使国家长兴久盛，
　　　　节俭的原则可要看紧！
　　　　分配财富祭祀神明，
　　　　大手大脚可是不行。

　　　　人有祸福天有风云，
　　　　居安思危来不得轻心，
　　　　未雨绸缪遇事不惊，
　　　　可不能到头跺脚悔恨！

　　　　丰盈的库存是骄傲的资本，
　　　　节流开源使财富有增，
　　　　精打细算能省就省，
　　　　国家富裕了自然强盛。

　　　　政权的根柢扎在百姓，
　　　　百姓无忧才叫柢固根深。
　　　　不弃细流，可为江海，
　　　　节俭使国运日益昌盛。

十九

（原第六十四章）

其安易持，其未兆易谋，其脆易泮[1]，其微易散。为之于未有，治之于未乱。合抱之木，生于毫末；九层之台，起于累土；千里之行，始于足下。为者败之，执者失之。是以圣人无为，故无败；无执，故无失。民之从事，常于几成而败之。慎终如始，则无败事。是以圣人欲不欲，不贵难得之货；学不学，复众人之所过，以辅万物之自然，而不敢为。

【注释】

[1]泮：散开。

【按】

本章论治乱。

【直译】

事物在安静时容易把握，未露征兆时便于考虑。

事物在脆弱时容易消融，在细微时容易打散，在它没发生之前就要预防，在祸乱没有发生前就要整治。

从细小的萌芽长出合抱的大树；由一堆堆泥土垒成九层的高台；一步步走出来千里的行程。

一切妄为都会一点一滴地铸成大错，一步一步在危险中愈陷愈深。所以妄为者必败，偏执者必失。

因此，圣人无为，无执，就没有了失败。有些老百姓做事，常常是快成功了，又失败了，如果慎始慎终，就不至于如此。

所以，圣人所求就是无所求，所学就是无所学，以补救众人的过失。把自己放在辅弼万物的位置上，不敢妄动。

【诗译】

治乱别等到大乱纷纷，

刚露出苗头就要抓紧！

平静的鱼儿容易抓稳，

防贼别等到东西丢尽，

窝里的雏鸟容易捕捉，

微弱的祸乱容易平定。

合抱之木，起于毫末；
九层之台，起于累土；
千里之行，始于足下。

治乱别等到大乱纷纷，
刚露出苗头就要抓紧！

圣明的君主防微杜渐，
怕乱耗国力把天下搅浑。
克制了私欲戒除了专横，
才有了治世一派升平。

庸夫竖子犹无明夜行，
莽撞行事不知浅深。
招来的横祸自己去领，
要看着事情功败垂成！

圣人的心愿追随百姓，
犹如船舟顺水而行。
这就是法天法地法自然，
这就是不敢有为寡欲清心。

治乱别等到大乱纷纷，
刚露出苗头就要抓紧！

二十

（原第八十章）

小国寡民。使有什伯之器[1]而不用；使民重死而不远徙；虽有舟舆，无所乘之；虽有甲兵，无所陈之。使人复结绳[2]而用之。甘其食，美其服，安其居，乐其俗。邻国相望，鸡犬之声相闻，民至老死不相往来。

【注释】

[1]什伯之器：众多的器物。

[2]结绳：上古记事方法，在绳子上打结。

【按】

本章表达了老子心目中的理想国度，任继愈云："老子美化上古，是为了菲薄当时。"

【直译】

让国家变小，人民稀少，即使有各种器物，人们也不用。使百姓生活得安心，因为害怕横死而不远走他乡。即使有车船，没人去乘坐。即使有武器装备，也因太平无事荒疏了。人们还是用结绳的方法记事。

他们吃得香，穿得漂亮，住得稳，热爱他们的风俗习惯。即使是互相看得见邻国，哪怕鸡犬之声都听得清楚，人们直到老死都互不往来。

【诗译】

小国寡民，
邻国相望，鸡犬之声相闻，
民至老死不相往来。

小国的政令容易风行，
稀少的人烟古风朴淳。
不为着求生离乡背井，
新奇的玩意儿也不受欢迎。

异国的风情无力逗引，
闲放着车船没人去乘。
清平的世界荡荡乾坤，
没有战争荒置了甲兵。

吃得香甜睡得也安稳，

漂亮的打扮悦目赏心。
古老的风俗人人遵循，
优哉游哉过完了一生。

小国寡民，
邻国相望，鸡犬之声相闻，
民至老死不相往来。

二十一

（原第五十七章）

yǐ zhèng zhì guó　yǐ qí yòng bīng　yǐ wú shì qǔ tiān
以 正 治 国，以 奇 用 兵，以 无 事 取 天

xià　wú hé yǐ zhī qí rán zāi　yǐ cǐ　tiān xià duō jì huì[1]
下。吾 何 以 知 其 然 哉？以 此。天 下 多 忌 讳[1]，

ér mín mí pín　mín duō lì qì　guó jiā zī hūn　rén duō jì
而 民 弥 贫；民 多 利 器，国 家 滋 昏；人 多 伎

qiǎo　qí wù zī qǐ　fǎ lìng zī zhāng[2]　dào zéi duō yǒu
巧，奇 物 滋 起；法 令 滋 彰[2]，盗 贼 多 有。

gù shèng rén yún　　wǒ wú wéi ér mín zì huà　wǒ hào jìng
故 圣 人 云："我 无 为 而 民 自 化，我 好 静

ér mín zì zhèng　wǒ wú shì ér mín zì fù　wǒ wú yù ér
而 民 自 正，我 无 事 而 民 自 富，我 无 欲 而

mín zì pǔ
民 自 朴。"

【注释】

[1]忌讳：法令、禁令。

[2]滋彰：滋，更加；彰，明白清楚。

【按】

本章从道有恒的原理出发，论治国方针。

【直译】

治国，要来得平正。打仗，要出奇用兵。谋取天下，要以不妄为为上。我为什么这样说呢，是从下面情况得到的认识：

天下禁令纷出，使百姓日益贫困；百姓利器甚多，使国家天昏地暗；人们技巧多了，稀奇古怪的玩意儿让人追新求异，不守本分；法令越来越明，盗贼越来越多。所以圣人说："我无为，百姓自然归化。我好静，百姓自然平正。我不乱耗国力，百姓自然富足。我不胡思乱想，百姓自然纯朴。"

【诗译】

　　　　治国的方针需要平正，
　　　　打仗行军要出奇制胜，
　　　　治理天下要无为清净，
　　　　谋取天下要蓄锐养精。

　　　　可叹这世间缺乏平正，
　　　　禁令使百姓日益贫困。
　　　　民多利器，冒死轻生，
　　　　搅得这天下不得安宁。

　　　　可叹这世间古道不存，
　　　　苛政使百姓难以图存。
　　　　奇物纷出，逐异追新，
　　　　更何况这有盗贼日增。

可叹这世间大道不存，
动荡使百姓不得安生。
颠三倒四，东走西奔，
最后受害的还是百姓！

二十二

（原第六十章）

zhì dà guó ruò pēng xiǎo xiān
治 大 国 若 烹 小 鲜^[1]，以 道 莅^[2] 天 下，

qí guǐ bù shén   fēi qí guǐ bù shén   qí shén bù shāng
其 鬼 不 神^[3]，非 其 鬼 不 神，其 神 不 伤

rén   fēi qí shén bù shāng rén   shèng rén yì bù shāng rén
人。非 其 神 不 伤 人，圣 人 亦 不 伤 人。

fú liǎng bù xiāng shāng   gù dé jiāo guī yān
夫 两 不 相 伤，故 德 交 归 焉。

【注释】

[1]小鲜：小鱼。

[2]莅：临。

[3]神：起作用。

【按】

本章首句极重要，暗示以道治国的益处，与第六十三章相呼应。

【直译】

治理大国，就像煎小鱼儿一样。大事看作小事，复杂看作简单，对待具体问题，又要慎之又慎，以小为大。用这个道学的原理来对待天下一切事情，就可以使万事顺达，连鬼神也拿你没办

法。这样，可使天下人心大顺，赞誉之声鹊起。

【诗译】

把小鱼放在油锅里烹，
这里有治理大国的学问：
小事一桩，简单易行，
君王就要有君王的信心。

把小鱼放在油锅里烹，
这里有治理大国的学问：
把握火候，谨慎小心，
稍有疏忽功败垂成！

把小鱼放在油锅里烹，
这里有治理大国的学问：
事在人为，不可轻心，
鬼神无助，天地不仁！

二十三

（原第三十六章）

jiāng yù xī zhī bì gù zhāng zhī jiāng yù ruò
将 欲 歙[1] 之, 必 固[2] 张 之; 将 欲 弱
zhī bì gù qiáng zhī jiāng yù fèi zhī bì gù xìng zhī jiāng
之, 必 固 强 之; 将 欲 废 之, 必 固 兴 之; 将
yù duó zhī bì gù yǔ zhī shì wèi wēi míng róu ruò shèng
欲 夺 之, 必 固 与 之。是 谓 微[3] 明。柔 弱 胜
gāng qiáng yú bù kě tuō yú yuān guó zhī lì qì bù kě yǐ
刚 强。鱼 不 可 脱 于 渊, 国 之 利 器 不 可 以
shì rén
示 人。

【注释】

[1]歙：收敛。

[2]固：暂且。

[3]微：深沉。

【按】

本章是有名的权术思想，源于道学中的"相反相成"原理。

【直译】

要想收敛它，一定暂且扩张它；本想削弱它，一定暂且加强它；将要废弃它，一定暂且兴盛它；将要夺取它，一定暂且拿给

它。这些都是很深沉的智慧，原则是用柔弱克制刚强。

鱼儿要潜在水里游，摆在岸上就要不得。同样，国家的杀手锏不能拿给别人看。

【诗译】

> 君王的心机要潜游暗行，
> 国之利器不可以示人。

> 将欲歙之，必固张之；
> 将欲弱之，必固强之。

> 君王的心机要潜游暗行，
> 国之利器不可以示人。

> 将欲废之，必固兴之；
> 将欲夺之，必固与之。

> 君王的心机要潜游暗行，
> 国之利器不可以示人。

二十四

（原第六十九章）

yòng bīng yǒu yán　wú bù gǎn wéi zhǔ ér wéi kè　bù gǎn
用 兵 有 言：吾 不 敢 为 主 而 为 客，不 敢

jìn cùn ér tuì chǐ　shì wèi xíng wú háng　rǎng　wú bì
进 寸 而 退 尺。是 谓 行 无 行[1]，攘[2] 无 臂，

rēng　wú dí　zhí wú bīng　huò mò dà yú qīng dí　qīng dí
扔[3] 无 敌，执 无 兵。祸 莫 大 于 轻 敌，轻 敌

jī sàng wú bǎo　gù kàng bīng xiāng jiā　āi zhě shèng yǐ
几 丧 吾 宝。故 抗 兵 相 加[4]，哀 者 胜 矣。

【注释】

[1]行：行列，摆开阵势。

[2]攘：举起。

[3]扔：对抗。

[4]抗兵相加：力量对等的军队相遇。

【按】

本章以道论战争指挥，"抗兵相加，哀者胜"成为千古名言，然以空明之智指挥作战，则更为重要。

【直译】

用兵的说得好："我不敢妄取攻势而慎取守势，宁可退却一尺，不可妄进一寸。"——打仗就要谨慎。

两军接触，指挥者心里要空明，要感到无阵势可摆，无人可用，无敌可制，无兵器可拿，这样才可以相机行事。

　　战前的心理准备要充分，轻敌是最大的祸患，轻敌就丧失了谨慎这个法宝。在势均力敌的双方对抗时，悲愤的一方获胜，所以，战前要调出这个心态来。

【诗译】

　　　　　两军相对须慎之又慎，
　　　　　先取稳守势观察动静。
　　　　　宁退一尺，不进一寸，
　　　　　机宜未合不可急躁冒进。

　　　　　两军交锋须头脑空明，
　　　　　应机而动灵活用兵。
　　　　　不要生搬每一个兵法，
　　　　　也不要装着一个敌人。

　　　　　两军相对须格外小心，
　　　　　低估了对方就折将损兵。
　　　　　势均力敌时悲愤者胜，
　　　　　鼓动士气要格外用心。

二十五

（原第三十一章）

夫佳兵者，不祥之器，物或恶之，故有道者不处。君子居则贵左，用兵则贵右。兵者，不祥之器，非君子之器，不得已而用之，恬淡为上。胜而不美[1]，而美之者，是乐杀人。夫乐杀人者，则不可以得志于天下矣。吉事尚左，凶事尚右。偏将军居左，上将军居右，言以丧礼处之。杀人之众，以哀悲泣之，战胜，以丧礼处之。

【注释】

[1]美：自以为了不起，满意。

【按】

本章指出战争是祸患，但也不反对正义自卫，只是指出：乐杀人者，不可得志于天下。

【直译】

那兵器，是不祥之器。谁都讨厌它，因此有道的人远离它。

宫廷里以左方为贵，打仗时主帅在右，可见战争是不祥之事，非君子之事。

迫不得已兴兵打仗，以安静从容为上，胜利了不要乐不可支。那些乐不可支的人，是乐于杀人。那些乐于杀人的人，不可能得到天下。

民俗喜事，以左为上座；凶事，以右为上方。战争中偏将居左，正将居右，这就是把战争当成丧事了。

对战争中的伤亡，要以悲哀的心情到场参加，以凶丧的礼仪作善后处理。

【诗译】

夫乐杀人者，
不可以得志于天下！

兵器在凶残中产生，
兵器是灾难的象征！
有道者厌恶兵器，
人民憎恶战争！

宫廷的礼节以左为贵，
带兵打仗以右为尊。
战争破坏和平，
仁君憎恶战争！

吉祥的事情长者居左，
有了凶丧以右为尊。
战争破坏吉祥，
战争就是凶丧！

一厢情愿保不住和平，
兴兵则需特别审慎。
胜利也不必欢天喜地，
好好掩埋阵亡的官兵。

如果洋洋得意于战争，
此人必定是乐于杀人。
乐于杀人者不可得志于天下，
人民对战争深刻厌憎！

夫乐杀人者，
不可以得志于天下！

二十六

（原第六十一章）

dà guó zhě xià liú　　tiān xià zhī jiāo　　tiān xià zhī pìn
大 国 者 下 流 ， 天 下 之 交 ， 天 下 之 牝 。

pìn cháng yǐ jìng shèng mǔ　　yǐ jìng wéi xià　　gù dà guó yǐ xià
牝 常 以 静 胜 牡 ， 以 静 为 下 。 故 大 国 以 下

xiǎo guó　　zé qǔ xiǎo guó　　xiǎo guó yǐ xià dà guó　　zé qǔ dà
小 国 ， 则 取 小 国 ； 小 国 以 下 大 国 ， 则 取 大

guó　　gù huò xià yǐ qǔ　　huò xià ér qǔ　　dà guó bú guò yù
国 。 故 或 下 以 取 ， 或 下 而 取 。 大 国 不 过 欲

jiān xù rén　　xiǎo guó bú guò yù rù shì rén　　fú liǎng zhě gè
兼 畜 人 ， 小 国 不 过 欲 入 事 人 。 夫 两 者 各

dé qí suǒ yù　　dà zhě yí wéi xià
得 其 所 欲 ， 大 者 宜 为 下 。

【按】

本章以道学贵柔的理论阐述在外交上的运用。

【直译】

大国的客观地位，就像处于百川交汇的下流，柔静之处。

雌性常以安静战胜雄性，柔静与处于下方是值得借鉴的。

因此，大国以谦下态度对待小国，就赢得小国。小国以谦下态度对待大国，就赢得大国。总之，谁谦下谁就得益。

大国不过是要领导小国，小国不过是希望得到大国的保护，两

者各有好处，大国应更加谦下。

【诗译】

　　　　　　大国给小国一片浓荫，
　　　　　　小国使大国羽翼丰满，
　　　　　　和睦的结果两全其美，
　　　　　　大国的君主当谦和热忱。

　　　　　　外交不仅是利害的权衡，
　　　　　　友谊还需相互尊敬。
　　　　　　谦和热忱才赢得信赖，
　　　　　　不可居高临下咄咄逼人！

二十七

（原第八十一章）

xìn yán bù měi měi yán bú xìn shàn zhě bú biàn
信 言 不 美，美 言 不 信；善 者 不 辩[1]，

biàn zhě bú shàn zhì zhě bù bó bó zhě bú zhì shèng rén
辩 者 不 善；知 者 不 博[2]，博 者 不 知。圣 人

bù jī jì yǐ yǔ rén jǐ yù yǒu jì yǐ yǔ rén jǐ
不 积[3]，既 以 与 人，己 愈 有；既 以 与 人，己

yù duō tiān zhī dào lì ér bú hài shèng rén zhī dào wéi
愈 多。天 之 道，利 而 不 害。圣 人 之 道，为

ér bù zhēng
而 不 争。

【注释】

[1]辩：口才好，能说会道。

[2]博：显示自己懂得多。

[3]积：保留。

【按】

本章是从动静虚实的角度对人作一简洁的评价，是知人善任的明镜。

【直译】

实在的话不好听，好听的话不实在。好人不巧言诡辩，巧言诡

辩不是好人。有真知的人不卖弄学问，好卖弄学问的人无真知。
圣人不保守，越是付出得多，自己愈是富有、充裕。

自然之道是只给人以利，不带来害处。圣人之道是只行善功，
不争私利。

【诗译】

中肯的言论不为动听，
动听的话儿不为中肯。
忠厚纯正的心慈口钝，
花言巧语的深藏奸心。

真才实学的笃实宁静，
腹中空空的善于钻营。
公而忘私的赤诚守信，
见利忘义的本是小人。

深谋远虑而忠心耿耿，
造福天下堪称圣人。
神圣不在乎职位名分，
他无私奉献一片赤诚。

二十八

（原第六十八章）

shàn wéi shì zhě bù wǔ   shàn zhàn zhě bú nù   shàn
善 为 士 者 不 武， 善 战 者 不 怒， 善

shèng dí zhě bù yǔ   shàn yòng rén zhě wéi zhī xià   shì wèi bù
胜 敌 者 不 与， 善 用 人 者 为 之 下。 是 谓 不

zhēng zhī dé   shì wèi yòng rén zhī lì   shì wèi pèi tiān   gǔ
争 之 德， 是 谓 用 人 之 力， 是 谓 配 天， 古

zhī jí
之 极。

【按】

本章着重于从动静、勇谋衡量人，弘扬道学贵柔的思想。

【直译】

善于为士的不尚勇武，善于作战的不动怒气，善于胜敌的不正面交锋，善于用人的自居卑下。

这就是不争的益处，这就是利用别人的力量，这就叫作运用自然规律，这个标准亘古长存。

【诗译】

好男儿不以勇武逞能，

好武师搏斗时不怒不忿。

胜敌最好不锐气相争，

治人的要注意谦虚谨慎。

不争而胜才是妙胜，
谦和可以让人卖劲。
这些道理合于天道，
自古以来畅达通行。

五、结语

结语

我讲的道理分分明明，
我的思想切实易行。
荡荡天下莫人能知，
茫茫人海莫人能行。

我在天地间默默远行。

《结语》是一个分明的结局。是老子对自己一生的形象描述。从艺术上看，这里充满着悲剧美。但是，对于人们来说，没有这样的悲剧，更美。

⊙结语（一章）

结语

（原第七十章）

wú yán shèn yì zhī　shèn yì xíng　tiān xià mò néng
吾 言 甚 易 知，甚 易 行。天 下 莫 能

zhī　mò néng xíng　yán yǒu zōng　shì yǒu jūn　fú wéi wú
知，莫 能 行。言 有 宗，事 有 君。夫 唯 无

zhī　shì yǐ bù wǒ zhī　zhī wǒ zhě xī　zé wǒ zhě guì　shì
知，是 以 不 我 知。知 我 者 希，则 我 者 贵。是

yǐ shèng rén pī hè　huái yù
以 圣 人 被 褐[1] 怀 玉[2]。

【注释】

[1]被褐：被，同披，穿着。褐，粗布衣裳。

[2]怀玉：怀里揣着璞玉。

【按】

本章是老子对世间的感慨和对自己当时形象的描述。可看作是对他修道成功及弘道以后的情景作的一个总结。

【直译】

我的话很好懂，很容易照做。可是天下无人能懂，无人能照做。说话有个主旨，做事有个头绪。人们没有头脑，所以不理解我的思想，知道我的人很少。以我的道理为准则的难能可贵，我现在可是穿着粗布衣裳怀里揣着最美的玉。

【诗译】

我讲的道理分分明明，
我的思想切实易行。
荡荡天下莫人能知，
茫茫人海莫人能行。

我在天地间默默远行。

弹起琴弦找不到知音，
圣心并非指日可成。
浑浑噩噩是那些愚氓，
物欲横流是那些昏君。

我在天地间默默远行。

明珠总是要大放光明，
璞玉总要被人们公认。
真理不停止前进的脚步，
圣人要保持神圣的光明。

我在天地间默默远行。

附 录

《〈道德经〉诗译》助读资料

一、名词解释

⊙道之为物，惟恍惟惚

但凝神于气穴，心息相依归根，则真息自生，呼吸俱无，如身入于杳冥之乡……少焉，则一阳初动，其丹田如火燃，暖气充融，神光透目，而心觉其恍惚之景……《道德经》曰："惚兮恍兮，其中有象；恍兮惚兮，其中有物；窈兮冥兮，其中有精；其精甚真，其中有信。"此之谓也。

——清·董德宁：《悟真篇真义》

⊙谷神

凡物之精，此则为生。下生五谷，上为列星。流于天地之间，谓之鬼神。藏于胸中，谓之圣人。

——《管子·内业》

⊙天下神器，不可执也

神器，这里指象征周王朝王权的九个鼎。

春秋时，楚庄王北伐，陈兵于洛水，向周武王炫耀武力。周武王派遣王孙满慰劳楚师，楚子向王孙满询问周朝的传国之宝九鼎的大小和轻重。楚子问鼎，有夺取周王朝天下的意思。后来用"问鼎"指图谋夺取政权：问鼎中原。

二、《道德经》通行本原本

（魏·王弼注本）

一章

道可道，非常道；名可名，非常名。无名天地之始。有名万物之母。故常无欲以观其妙。常有欲以观其徼。此两者同出而异名，同谓之玄。玄之又玄，众妙之门。

二章

天下皆知美之为美，斯恶已；皆知善之为善，斯不善已。故有无相生，难易相成，长短相较，高下相倾，音声相和，前后相随。是以圣人处无为之事，行不言之教。万物作焉而不辞，生而不有，为而不恃，功成而弗居。夫唯弗居，是以不去。

三章

不尚贤，使民不争；不贵难得之货，使民不为盗；不见可欲，使民心不乱。是以圣人之治，虚其心，实其腹；弱其志，强其骨，常使民无知无欲，使夫智者不敢为也。为无为，则无不治。

四章

道冲而用之或不盈。渊兮似万物之宗。挫其锐，解其纷，和其光，同其尘，湛兮似或存，吾不知谁之子，象帝之先。

五章

天地不仁，以万物为刍狗；圣人不仁，以百姓为刍狗。天地之间，其犹橐籥乎？虚而不屈，动而愈出。多言数穷，不如守中。

六章

谷神不死，是谓玄牝，玄牝之门，是谓天地根。绵绵若存，用之不勤。

七章

天长地久，天地所以能长且久者，以其不自生，故能长生。是以圣人后其身而身先，外其身而身存。非以其无私邪？故能成其私。

八章

上善若水。水善利万物而不争，处众人之所恶，故几于道。居善地，心善渊，与善仁，言善信，正善治，事善能，动善时。夫唯不争，故无尤。

九章

持而盈之，不如其已；揣而棁之，不可长保；金玉满堂，莫之能守；富贵而骄，自遗其咎。功遂身退，天之道。

十章

载营魄抱一，能无离乎？专气致柔，能婴儿乎？涤除玄览，能无疵乎？爱民治国，能无知乎？天门开阖，能无雌乎？明白四达，能无为乎？生之、畜之，生而不有，为而不恃，长而不宰，是谓玄德。

十一章

三十辐共一毂，当其无，有车之用。埏埴以为器，当其无，有器之用。凿户牖以为室，当其无，有室之用。故有之以为利，无之以为用。

十二章

五色令人目盲，五音令人耳聋，五味令人口爽，驰骋畋猎令人心发狂，难得之货令人行妨。是以圣人为腹不为目，故去彼取此。

十三章

宠辱若惊，贵大患若身。何谓宠辱若惊？宠，为下得之若惊，失之若惊，是谓宠辱若惊。何谓贵大患若身？吾所以有大患者，为吾有身，及吾无身，吾有何患？故贵以身为天下，若可寄天下；爱以身为天下，若可托天下。

十四章

视之不见，名曰夷；听之不闻，名曰希；搏之不得，名曰微。此三者不可致诘，故混而为一。其上不皦，其下不昧，绳绳不可名，复归于无物。是谓无状之状，无物之象。是谓惚恍。迎之不见其首，随之不见其后。执古之道，以御今之有。能知古始，是谓道纪。

十五章

古之善为士者，微妙玄通，深不可识。夫唯不可识，故强为之容。豫焉若冬涉川；犹兮若畏四邻；俨兮其若容；涣兮若冰之将释；敦兮其若朴；旷兮其若谷；混兮其若浊。孰能浊以静之徐清？孰能安以久动之徐生？保此道者不欲盈。夫唯不盈，故能蔽不新成。

十六章

致虚极，守静笃。万物并作，吾以观复。夫物芸芸，各复归其根。归根曰静，是谓复命；复命曰常，知常曰明。不知常，妄作凶。知常容，容乃公，公乃王，王乃天，天乃道，道乃久，没身不殆。

十七章

太上，下知有之。其次亲而誉之，其次畏之。其次侮之。信不足，焉有不信焉。悠兮，其贵言，功成事遂，百姓皆谓我自然。

十八章

大道废，有仁义；慧智出，有大伪；六亲不和，有孝慈；国家昏乱，有忠臣。

十九章

绝圣弃智，民利百倍；绝仁弃义，民复孝慈；绝巧弃利，盗贼无有。此三者，以为文不足。故令有所属。见素抱朴，少私寡欲。

二十章

绝学无忧，唯之与阿，相去几何？善之与恶，相去若何？人之所畏，不可不畏。荒兮，其未央哉！众人熙熙，如享太牢，如春登台。我独泊兮，其未兆，如婴儿之未孩；儽儽兮，若无所归。众人皆有馀，而我独若遗。我愚人之心也哉，沌沌兮！俗人昭昭，我独昏昏；俗人察察，我独闷闷。澹兮其若海；飂兮若无止。众人皆有以，而我独顽似鄙。我独异于人，而贵食母。

二十一章

孔德之容，惟道是从。道之为物，惟恍惟惚。惚兮恍兮，其中有象；恍兮惚兮，其中有物；窈兮冥兮，其中有精。其精甚真，其中有信。自古及今，其名不去，以阅众甫。吾何以知众甫之状哉？以此。

二十二章

曲则全，枉则直，洼则盈，敝则新，少则得，多则惑。是以圣人抱一为天下式。不自见，故明；不自是，故彰；不自伐，故有功；不自矜，故长。夫唯不争，故天下莫能与之争。古之所谓"曲则全"者，岂虚言哉？诚全而归之。

二十三章

希言自然。故飘风不终朝，骤雨不终日。孰为此者？天地。天地尚不能久，而况于人乎？故从事于道者，道者同于道，德者同于德，失者同于失。同于道者，道亦乐得之；同于德者，德亦乐得之；同于失者，失亦乐得之。信不足，焉有不信焉。

二十四章

企者不立，跨者不行，自见者不明，自是者不彰，自伐者无功，自矜者不长。其在道也，曰：馀食赘行。物或恶之，故有道者不处。

二十五章

有物混成，先天地生。寂兮寥兮，独立不改，周行而不殆，可以为天下母。吾不知其名，字之曰道，强为之名曰大。大曰逝，逝曰远，远曰反。故道大，天大，地大，王亦大。域中有四大，而王居其一焉。人法地，地法天，天法道，道法自然。

二十六章

重为轻根，静为躁君。是以圣人终日行不离辎重，虽有荣观，燕处超然，奈何万乘之主而以身轻天下？轻则失本，躁则失君。

二十七章

善行，无辙迹；善言，无瑕谪；善数，不用筹策；善闭，无关楗而不可开；善结，无绳约而不可解。是以圣人常善救人，故无弃人；常善救物，故无弃物。是谓袭明。故善人者，不善人之师；不善人者，善人之资。不贵其师，不爱其资，虽智大迷，是谓要妙。

二十八章

知其雄，守其雌，为天下谿。为天下谿，常德不离，复归于婴儿。知其白，守其黑，为天下式。为天下式，常德不忒，复归于无极。知其荣，守其辱，为天下谷。为天下谷，常德乃足，复归于朴。朴散则为器，圣人用之，则为官长。故大制不割。

二十九章

将欲取天下而为之，吾见其不得已。天下神器，不可为也。为者败之，执者失之。故物或行或随，或歔或吹，或强或羸，或挫或隳。是以圣人去甚，去奢，去泰。

三十章

以道佐人主者，不以兵强天下，其事好还。师之所处，荆棘生焉，大军之后，必有凶年。善有果而已，不敢以取强。果而勿矜，果而勿伐，果而勿骄，果而不得已，果而勿强。物壮则老，是谓不道，不道早已。

三十一章

夫佳兵者，不祥之器，物或恶之，故有道者不处。君子居则贵左，用兵则贵右。兵者，不祥之器，非君子之器，不得已而用之，恬淡为上。胜而不美，而美之者，是乐杀人。夫乐杀人者，则不可以得志于天下矣。吉事尚左，凶事尚右。偏将军居左，上将军居右。言以丧礼处之。杀人之众，以哀悲泣之，战胜，以丧礼处之。

三十二章

道常无名。朴虽小，天下莫能臣也。侯王若能守之，万物将自宾。天地相合，以降甘露，民莫之令而自均。始制有名，名亦既有，夫亦将知止，知止可以不殆。譬道之在天下，犹川谷之于江海。

三十三章

知人者智，自知者明。胜人者有力，自胜者强。知足者富，强行者有志。不失其所者久，死而不亡者寿。

三十四章

大道氾兮，其可左右。万物恃之而生而不辞，功成不名有。衣养万物而不为主，常无欲，可名于小。万物归焉，而不为主，可名为大。以其终不自为大，故能成其大。

三十五章

执大象，天下往。往而不害，安平太。乐与饵，过客止。道之出口，淡乎其无味，视之不足见，听之不足闻，用之不足既。

三十六章

将欲歙之，必固张之；将欲弱之，必固强之；将欲废之，必固兴之；将欲夺之，必固与之。是谓微明。柔弱胜刚强。鱼不可脱于渊，国之利器不可以示人。

三十七章

道常无为，而无不为。侯王若能守之，万物将自化。化而欲作，吾将镇之以无名之朴。无名之朴，夫亦将无欲。不欲以静，天下将自定。

三十八章

上德不德，是以有德。下德不失德，是以无德。上德无为而无以为，下德为之而有以为。上仁为之而无以为，上义为之而有以为。上礼为之而莫之应，则攘臂而扔之。故失道而后德，失德而后仁，失仁而后义，失义而后礼。夫礼者，忠信之薄而乱之首。

前识者，道之华而愚之始。是以大丈夫处其厚，不居其薄，处其实，不居其华。故去彼取此。

三十九章

昔之得一者，天得一以清，地得一以宁，神得一以灵，谷得一以盈，万物得一以生，侯王得一以为天下贞。其致之。天无以清，将恐裂；地无以宁，将恐发；神无以灵，将恐歇；谷无以盈，将恐竭；万物无以生，将恐灭；侯王无以贵高，将恐蹶。故贵以贱为本，高以下为基。是以侯王自谓孤、寡、不穀。此非以贱为本邪？非乎。故致数舆无舆。不欲琭琭如玉，珞珞如石。

四十章

反者道之动，弱者道之用。天下万物生于有，有生于无。

四十一章

上士闻道，勤而行之；中士闻道，若存若亡；下士闻道，大笑之；不笑不足以为道。故建言有之：明道若昧，进道若退，夷道若纇，上德若谷，大白若辱，广德若不足，建德若偷，质真若渝，大方无隅，大器晚成，大音希声，大象无形，道隐无名，夫唯道，善贷且成。

四十二章

道生一，一生二，二生三，三生万物。万物负阴而抱阳，冲气以为和。人之所恶，唯孤、寡、不穀，而王公以为称，故物，或损之而益，或益之而损。人之所教，我亦教之，强梁者，不得其死。吾将以为教父。

四十三章

天下之至柔，驰骋天下之至坚。无有入无间，吾是以知无为之有益。不言之教，无为之益，天下希及之。

四十四章

名与身孰亲？身与货孰多？得与亡孰病？是故甚爱必大费。多藏必厚亡，知足不辱，知止不殆，可以长久。

四十五章

大成若缺，其用不弊；大盈若冲，其用不穷。大直若屈，大巧若拙，大辩若讷。躁胜寒，静胜热，清静为天下正。

四十六章

天下有道，却走马以粪；天下无道，戎马生于郊。祸莫大于不知足，咎莫大于欲得。故知足之足，常足矣。

四十七章

不出户，知天下；不窥牖，见天道。其出弥远，其知弥少。是以圣人不行而知，不见而名，不为而成。

四十八章

为学日益，为道日损，损之又损，以至于无为。无为而无不为。取天下，常以无事，及其有事，不足以取天下。

四十九章

圣人无常心，以百姓心为心。善者，吾善之；不善者，吾亦善之，德善。信者，吾信之。不信者，吾亦信之，德信。圣人在天下歙歙，为天下浑其心。圣人皆孩之。

五十章

出生入死。生之徒，十有三；死之徒，十有三。人之生，动之死地，亦十有三。夫何故？以其生生之厚。盖闻善摄生者，陆行不遇兕虎，入军不被甲兵。兕无所投其角，虎无所措其爪，兵无所容其刃。夫何故？以其无死地。

五十一章

道生之，德畜之，物形之，势成之。是以万物莫不尊道而贵德。道之尊，德之贵，夫莫之命而常自然。故道生之，德畜之，长之育之，亭之毒之，养之覆之。生而不有，为而不恃，长而不宰，是谓玄德。

五十二章

天下有始，以为天下母。既得其母，以知其子。既知其子，复守其母，没身不殆。塞其兑，闭其门，终身不勤。开其兑，济其事，终身不救。见小曰明，守柔曰强。用其光，复归其明，无遗身殃，是为习常。

五十三章

使我介然有知，行于大道，唯施是畏。大道甚夷，而民好径。朝甚除，田甚芜，仓甚虚。服文彩，带利剑，厌饮食，财货有馀。是谓盗夸。非道也哉。

五十四章

善建者不拔，善抱者不脱，子孙以祭祀不辍。修之于身，其德乃真；修之于家，其德乃馀；修之于乡，其德乃长；修之于国，其德乃丰；修之于天下，其德乃普。故，以身观身，以家观家，以乡观乡，以国观国，以天下观天下。吾何以知天下然哉？以此。

五十五章

含德之厚，比于赤子。蜂虿虺蛇不螫，猛兽不据，攫鸟不搏。骨弱筋柔而握固。未知牝牡之合而全作，精之至也。终日号而不嗄，和之至也。知和曰常，知常曰明。益生曰祥。心使气曰强。物壮则老，谓之不道，不道早已。

五十六章

知者不言，言者不知。塞其兑，闭其门。挫其锐，解其分，和其光，同其尘，是谓玄同。故，不可得而亲，不可得而疏，不可得而利，不可得而害，不可得而贵，不可得而贱。故为天下贵。

五十七章

以正治国，以奇用兵，以无事取天下。吾何以知其然哉？以此。天下多忌讳，而民弥贫；民多利器，国家滋昏；人多伎巧，奇物滋起；法令滋彰，盗贼多有。故圣人云："我无为而民自化，我好静而民自正，我无事而民自富，我无欲而民自朴。"

五十八章

其政闷闷，其民淳淳。其政察察，其民缺缺。祸兮，福之所倚；福兮，祸之所伏。孰知其极？其无正。正复为奇，善复为妖。人之迷，其日固久。是以圣人，方而不割，廉而不刿，直而不肆，光而不耀。

五十九章

治人，事天，莫若啬。夫唯啬，是谓早服。早服谓之重积德；重积德则无不克；无不克则莫知其极。莫知其极，可以有国；有国之母，可以长久。是谓深根、固柢、长生、久视之道。

六十章

治大国若烹小鲜。以道莅天下，其鬼不神，非其鬼不神，其神不伤人。非其神不伤人，圣人亦不伤人。夫两不相伤，故德交归焉。

六十一章

大国者下流，天下之交，天下之牝。牝常以静胜牡。以静为下。故大国以下小国，则取小国；小国以下大国，则取大国。故或下以取，或下而取。大国不过欲兼畜人，小国不过欲入事人。夫两者各得其所欲，大者宜为下。

六十二章

道者，万物之奥，善人之宝，不善人之所保。美言可以市，尊行可以加人。人之不善，何弃之有？故立天子，置三公，虽有拱

璧，以先驷马，不如坐进此道。古之所以贵此道者何？不曰以求
得，有罪以免邪？故为天下贵。

六十三章

　　为无为，事无事，味无味。大小多少，报怨以德。图难于其
易，为大于其细。天下难事，必作于易。天下大事，必作于细。
是以圣人终不为大，故能成其大。夫轻诺必寡信。多易必多难。
是以圣人犹难之，故终无难矣。

六十四章

　　其安易持，其未兆易谋。其脆易泮，其微易散。为之于未有，
治之于未乱。合抱之木，生于毫末；九层之台，起于累土；千里
之行，始于足下。为者败之，执者失之。是以圣人无为，故无
败；无执，故无失。民之从事，常于几成而败之。慎终如始，则
无败事。是以圣人欲不欲，不贵难得之货；学不学，复众人之所
过，以辅万物之自然，而不敢为。

六十五章

　　古之善为道者，非以明民，将以愚之。民之难治，以其智
多。故以智治国，国之贼；不以智治国，国之福。知此两者亦稽
式。常知稽式，是谓玄德。玄德深矣、远矣，与物反矣，然后乃
至大顺。

六十六章

江海所以能为百谷王者，以其善下之，故能为百谷王。是以欲上民，必以言下之；欲先民，必以身后之。是以圣人处上而民不重，处前而民不害。是以天下乐推而不厌。以其不争，故天下莫能与之争。

六十七章

天下皆谓我道大，似不肖。夫唯大，故似不肖。若肖，久矣其细也夫！我有三宝，持而保之：一曰慈，二曰俭，三曰不敢为天下先。慈，故能勇；俭，故能广；不敢为天下先，故能成器长。今舍慈且勇，舍俭且广，舍后且先，死矣！夫慈，以战则胜，以守则固。天将救之，以慈卫之。

六十八章

善为士者不武，善战者不怒，善胜敌者不与，善用人者为之下。是谓不争之德，是谓用人之力，是谓配天，古之极。

六十九章

用兵有言：吾不敢为主而为客，不敢进寸而退尺。是谓行无行，攘无臂，扔无敌，执无兵。祸莫大于轻敌，轻敌几丧吾宝。故抗兵相加，哀者胜矣。

七十章

　　吾言甚易知，甚易行。天下莫能知，莫能行。言有宗，事有君。夫唯无知，是以不我知。知我者希，则我者贵。是以圣人被褐怀玉。

七十一章

　　知不知，上；不知知，病。夫惟病病，是以不病。圣人不病，以其病病，是以不病。

七十二章

　　民不畏威，则大威至。无狎其所居，无厌其所生。夫唯不厌，是以不厌。是以圣人，自知不自见，自爱不自贵。故去彼取此。

七十三章

　　勇于敢，则杀；勇于不敢，则活。此两者或利或害。天之所恶，孰知其故？是以圣人犹难之。天之道，不争而善胜，不言而善应，不召而自来，繟然而善谋。天网恢恢，疏而不失。

七十四章

民不畏死，奈何以死惧之？若使民常畏死，而为奇者，吾得执而杀之，孰敢？常有司杀者杀，夫代司杀者杀，是谓代大匠斫。夫代大匠斫者，希有不伤其手矣。

七十五章

民之饥，以其上食税之多，是以饥。民之难治，以其上之有为，是以难治。民之轻死，以其求生之厚，是以轻死。夫唯无以生为者，是贤于贵生。

七十六章

人之生也柔弱，其死也坚强；万物草木之生也柔脆，其死也枯槁。故坚强者，死之徒；柔弱者，生之徒。是以兵强则不胜，木强则兵。强大处下，柔弱处上。

七十七章

天之道，其犹张弓与！高者抑之，下者举之；有馀者损之，不足者补之。天之道，损有馀而补不足。人之道则不然，损不足以奉有馀。孰能有馀以奉天下？唯有道者。是以圣人为而不恃，功成而不处，其不欲见贤。

七十八章

天下莫柔弱于水，而攻坚强者，莫之能胜。其无以易之。弱之胜强，柔之胜刚。天下莫不知，莫能行。是以圣人云：受国之垢，是谓社稷主；受国不祥，是为天下王。正言若反。

七十九章

和大怨，必有馀怨，安可以为善？是以圣人执左契而不责于人。有德司契，无德司彻。天道无亲，常与善人。

八十章

小国寡民。使有什伯之器而不用；使民重死而不远徙；虽有舟舆，无所乘之；虽有甲兵，无所陈之；使人复结绳而用之。甘其食，美其服，安其居，乐其俗。邻国相望，鸡犬之声相闻，民至老死不相往来。

八十一章

信言不美，美言不信；善者不辩，辩者不善；知者不博，博者不知。圣人不积，既以与人，己愈有；既以与人，己愈多。天之道，利而不害。圣人之道，为而不争。

参考文献

[1] 马王堆汉墓帛书整理小组编. 马王堆汉墓帛书《老子》[M]. 北京：文物出版社，1976.

[2] 王卡. 河上公《老子章句》[M]. 北京：中华书局，1993.

[3] 陈鼓应. 老子注释及评介[M]. 北京：中华书局，1984.

[4] 任继愈. 老子新译[M]. 上海：上海古籍出版社，1985.

跋　语

老子，一位凡人

史载，老子是中国春秋末期周王朝的守藏史（国家图书管理的官员）。

老子，一位赤子

他身处群雄竞起，战乱频仍，周王室岌岌可危，天灾人祸相循不已的乱世，他没有遁迹深山，自保平安，也没有消遣声色，以慰天年，而是奋然担当起救百姓于水火，还天下以太平的历史重任！位卑未敢忘忧国，力薄不妨挽狂澜！大孝天下谁堪比？忠志社稷第一人！

老子，一位超人

凭博览天下群书之利，他继承了伏羲为代表的传统修身养性文化，发愿从"修之于身"到"修之于天下"，做到"其德乃普"，然后，"弃圣绝学"，避俗离庸，放怀于宇宙本元，禅悟于幽静斗室，在"致虚极，守静笃"中，完成了从身体"天下之至柔，驰骋天下之至坚""无有人无间"的感受，到"不出户，知天下，不窥牖，见天道"的超然智能，乃至"不行而知，不见而名，不为而成"的潜能铸就，终于到达认知宇宙本元——道的至境，发现了"道"生万物，及万物因循演变于"道"中，生生不已的宏观生命过程，以及"道"的至极必返，相反相成等内在规律。他成为人类历史上了知宇宙根本奥秘，屈指可数的超人。

老子，一位圣人

从拳拳济世救民的赤子心出发的老子，超人的智慧与初衷相融，就自然使他找到了度人的妙方，救世的良药。

他发现，"道生一，一生二，二生三，三生万物"，不论生命怎么演变，"道"的性质不变，规律不变，作用万物的地位不变。天地万物回归于道的旅程不变。反之"不道早已"。个人、家庭、团体、国家、世界，莫不如此！而人生最大的存在意义莫过于从私我走向大我，身心合道，实现圣我，造福社会，建设国家。须祥和安顺于内，平衡和睦于外。

由此，他建构了人生理想、治国理想、安邦理想，完成了从宇宙的"道义"出发修身养性，立身处世，治国安邦的人类至学建树，从而成为人类历史上首屈一指的圣人！

我能为老子的《道德经》作划时代的译著，幸甚至哉！

我从1983年至1985年，读多种古今中外《道德经》译本，见到处可见的曲解、误会，深痛于心，于是发愿，一定"不枉老子、不负先贤、不误后世"而译《道德经》，做到"脉清、义正、传神、达韵"，从而架起一座现代人与老子心灵相通的桥梁。及至

1996年，终于奇迹般地完成宏愿。至2001年，初次出版。今年，又蒙余先生举荐，深圳海天出版社欣然出版本人修订本《〈道德经〉诗译》，不胜感恩圣哲、感恩时代、感恩余先生、感恩出版社及社会各界人士多年的理解、支持与鼓励，更愿借此机会祝福祖国富强，中华振兴，中国产业昌盛，国人智慧不断提升，福祉绵长，世界文明日益辉煌。

2017年9月9日